RESPEITÁVEL PÚBLICO

HENRIQUE SCHNEIDER

RESPEITÁVEL PÚBLICO

2ª IMPRESSÃO

PORTO ALEGRE · SÃO PAULO
2017

Copyright © 2015 Henrique Schneider

Conselho editorial Gustavo Faraon, Julia Dantas e Rodrigo Rosp

Preparação e revisão Julia Dantas e Rodrigo Rosp

Capa Humberto Nunes

Foto do autor Thaís Lehmann

Dados Internacionais de Catalogação na Publicação (CIP)

S359r   Schneider, Henrique
        Respeitável público / Henrique Schneider. — Porto Alegre : Dublinense, 2015.
        128 p. ; 21 cm.

        ISBN: 978-85-8318-060-9

        1. Literatura Brasileira. 2. Romances Brasileiros. I. Título.

        CDD 869.9368

Catalogação na fonte: Ginamara de Oliveira Lima (CRB 10/1204)

Todos os direitos desta edição reservados à Editora Dublinense Ltda.

Av. Augusto Meyer, 163 sala 605
Auxiliadora — Porto Alegre — RS
contato@dublinense.com.br

Odeio circo.
Aliás, odeio tudo
que me encanta
e depois vai embora.

Caio F. Abreu

1

Com a mesma densidade que emprestava a todos os movimentos de sua vida, Teodoro Alegria procurou o relógio de bolso que mantinha guardado na gaveta da escrivaninha. Buscou-o quase afoitamente, querendo que já fosse meio-dia, como se pudesse impor ao tempo o mesmo poder que exercia sobre Galateia. Era o corpo que precisava do meio-dia, essa fome hercúlea que seus quase dois metros e mais de cem quilos sentiam tão intensamente naquela terça-feira com horas de domingo, que não passavam.

Mas o relógio era senhor de si mesmo e nele ainda eram onze e cinco. O homem sacudiu-o, como se aquela bobagem pudesse algo mais do que desregular o aparelho, depois guardou-o novamente na gaveta.

"Merda", dizia merda como quem respira, o tempo inteiro, em discursos de palanque ou quermesses de igreja, nas conversas com a mulher ou nas discussões sobre o mundo no Café Central. As pessoas já estavam acostumadas; em sua boca, não existia mais a áspera sonoridade do palavrão, transformado que estava em expressão cotidiana. Só na frente da mãe, uma velha hirsuta e seca de quem havia herdado a seriedade, é que se lembrava de não dizê-lo — e quando o fazia, por descuido ou rara provocação, ela ainda o censurava, como se tivesse oito anos.

Olhou o relógio da parede, que usava pouco porque ficava meio escondido atrás da bandeira do município, e este confirmou-lhe a má notícia: onze e cinco. A pior hora para a enormidade de sua fome; fosse um pouco mais cedo e ainda poderia comer um sanduíche ou dois, na certeza de estar novo na hora do almoço. Mas este horário, não: se comesse agora, teria o meio-dia e a tarde arruinados por uma refeição mal resolvida.

Assim, decidiu esperar com um breve cochilo os séculos que lhe faltavam para terminar a manhã, recostado em sua poltrona. Gritou à secretária que não o importunassem por nada até o meio-dia e descalçou os sapatos que a vida inteira lhe incomodavam os pés duros. Depois, abriu dois botões da camisa e afrouxou o cinto, para que pudesse ressonar mais facilmente, e fechou os olhos.

Dormiu tranquilo, na certeza intimorata de que a fome o despertaria quando fosse a hora do almoço.

Teodoro Alegria exercia o poder com a plenitude que, imaginava, lhe conferiam os tantos anos de mandato. Havia sido nomeado quando ainda não existiam as eleições; depois garantira a fogo e favores um primeiro mandato e elegera o vice como sucessor, apenas pelo prazer e o costume de permanecer mandando. Depois, outras tantas vezes saíra candidato, e o único adversário possível de incomodar-lhe nova vitória anunciou sua retirada dez dias antes da eleição e mudou-se para outra cidade, junto com a família, após receber uma visita noturna de meia dúzia de cabos eleitorais de Teodoro. Desse modo, distribuindo bolachas nas vilas mais distantes e discursando sobre a covardia que às vezes se esconde no coração dos homens, tomara posse novamente na cadeira de mandante maior de uma cidade que, nas últimas dezenas de anos, nunca deixara de ser sua.

E antes de ser sua, havia sido de seu pai. E antes disso, de seu avô, que chegara quando Galateia não era mais do que um amontoado de casas esquecido pelo mundo e pelo tempo e que, ao cabo de pouco mais de dez anos, à força de machado e bala, possuía o maior rebanho da região.

Em alpargatas de cordame e sem nunca ter aprendido a dar nó em gravata, o avô havia comprado terra de dia e aos poucos, garantindo-se em sua legitimidade, enquanto, à noite, seus empregados mais próximos avançavam cercas, plantavam novos moirões e marcavam gado. Quando morreu, coronel de poucas batalhas e muitas escaramuças, foi velado como um santo na igreja cuja construção patrocinara e, além da esposa, choraram-no em silêncio outras dezenas de mulheres que, também em silêncio, haviam-lhe conhecido o tamanho e a vontade.

O filho, que herdara do pai a imensidão de terra e a sagacidade para ampliar fronteiras, trouxe-se um pouco mais para o centro da cidadezinha, para cuidar melhor da casa de ferragem e do armazém de secos e molhados que havia fundado na poeirenta rua principal. Foi assim, deixando de lado os débitos pequenos e arredondando para cima as dívidas maiores, sorrindo no balcão sem aliviar o peso do braço, que multiplicara por muito o número de escrituras em sua gaveta e a vontade de mandar e ser obedecido. Quando morreu, próximo aos oitenta anos, o cadáver enorme e mal acomodado num caixão especialmente construído parecia sorrir enquanto o padre emocionado, em meio às exéquias, lia a mensagem de sincero pesar remetida pelo governador.

Teodoro teve pouco tempo para chorar a morte do pai: já estava empenhado em campanhas políticas, dominado pela possibilidade do domínio, fascinado pelas cores e cheiros do poder. Elegeu-se gastando ainda menos do que imaginava, contando desde o início com os votos certos dos empregados da fazenda, da ferragem, do armazém, do moinho de farinha e da casa lotérica, que, um dia antes das eleições, levaram para suas casas um pé de sapato e metade de uma nota graúda, com a promessa de receberem o resto depois de apurados os votos, caso Teodoro vencesse em todas as urnas. Cumpriu a promessa uns dias depois, o sorriso da vitória carimbado em seu rosto e a certeza solene de que saberia sempre pagar o preço do poder.

Acordou às doze horas com um fio de saliva escorrendo pelo lado esquerdo da boca e o rugido do estômago clamando por um boi inteiro. A perna manca havia sustentado o peso do corpo durante todo o sono e agora estava dormente, formigamento intenso tomando conta de seus músculos; assim, levantou-se devagar e caminhou com cuidado até firmar-se no chão, envergonhando-se sozinho daquela fragilidade indesejada. Pegou o chapéu com que protegia do sol a cabeça de raros cabelos e abriu a porta do gabinete com a urgência que lhe imprimia a fome. A secretária estava com seu corpo minúsculo quase escondido atrás do computador, escrevendo um dos tantos ofícios que ele, mal afeito às letras, assinava sem ler, e apenas levantou o seu enorme olhar acinzentado quando percebeu o vento da porta se abrindo.

"Algum recado importante?", perguntou ele.

Ela trabalhava com Teodoro Alegria há tempo suficiente para saber que as importâncias eram menores à hora do meio-dia. Por isso, sacudiu a cabeça negativamente.

"Nada. Dois ou três telefonemas, mas nada urgente", depois, abriu um meio-sorriso no qual se vislumbrava uma pequena ruptura em sua serena compostura, e completou: "E um homem meio estranho esteve aqui pedindo para lhe avisar que o circo chegou".

2

A fome tornou ainda mais densos os movimentos de Teodoro. Com a velocidade inteira que lhe permitia a perna aleijada, cruzou a praça e o quarteirão que separavam o Palácio Municipal de sua casa sem parar para ouvir qualquer chamado e só estacando por um segundo, a fim de atirar uma moeda no prato do mendigo Jeremias.

"Não enche a cara", comentou, quase divertido.

O mendigo pegou a moedinha e apontou-a ao alto.

"Com tudo isso, nem que eu quisesse".

"Um líder precisa cuidar sempre da saúde do seu povo", comentou Teodoro, rindo, enquanto dava as costas a Jeremias, pronto para seguir direto até sua casa.

A casa era branca e sólida, de uma clareza antiga e grande, cheia de cômodos espaçosos e retos, com janelas que davam para os pátios internos repletos de flores; à frente, os caminhos e jardins cuidados por Madalena. Havia sido construída pelo pai de Teodoro Alegria, e a ele parecia que o velho ainda estava ali, após tantos anos, preso à casa da mesma maneira que estava preso à morte, indesejoso de deixá-la e descansar em outro canto; por isso, a cada vento súbito, a cada inexplicável batida da porta ou vaso caído sem motivo, a cada objeto sumido sem que ninguém o tocasse, sentia os pelos dos braços se eriçarem com força. "Vai embora", dizia baixinho, para que ninguém o ouvisse; mas o pai não ia, porque, no outro dia, já eram outros pratos caindo sem que ninguém estivesse na cozinha e assim por diante.

Ele entrou em casa batendo a porta, anunciando sua presença e ordenando à cozinheira que pusesse logo à mesa.

"Até parece que não vive nesta casa", comentou sua mulher, vinda da sala. "A mesa sempre está posta ao meio-dia, mesmo que ninguém almoce".

"Até parece que não vive nesta casa", replicou ele, arremedando a mulher. "Eu estou sempre mandando, mesmo que ninguém me obedeça".

Discutiam assim há anos, sem cansarem e sem se levarem a sério. Madalena havia casado com o prefeito duas décadas e meia atrás, quando era pouco mais do que uma menina, e a vida inteira foram esparsas as suas manifestações mais expansivas. Na noite de núpcias, quando ele jogou a fome do seu enorme corpo branco sobre a barriga recém-descoberta da esposa e procurou seus caminhos pela primeira vez e sem muito cuidado, ela sentiu dor e medo e nada mais, mas não chorou. Enquanto Teodoro arfava feroz em meio às suas pernas abertas, ela decidia, os olhos rasos grudados no teto, que sua vida ao lado daquele gigante poderoso por quem estava apaixonada seria mais silenciosa do que qualquer outra coisa: ele era o dono do barulho, da intensidade; ela, da quietude, da placidez.

Uma placidez que cultivava flores nos cantos da casa, nos pátios e nas floreiras das janelas, em vasos espalhados pelas peças e nos canteiros, de todas as cores e formas, de todos os aromas e tamanhos; nas primaveras, a casa parecia zumbir, tantas as abelhas que voavam ao seu redor, carregando os polens recém-nascidos das plantas. Madalena cuidava das flores com um dedo verde, aguava-as sempre que necessário, afofava-lhes a terra como se lhes fizesse um carinho, conversava com elas para que crescessem sãs e belas e até descobriu que isso não funcionava, porque as plantas não entendiam português. Teodoro, desejoso de ajudar o talento da esposa, havia montado para ela uma pequena floricultura ao lado da casa, onde os momentos difíceis aconteciam quando tinha que trocar a beleza e o aroma das plantas pelo papel inodoro e apagado do dinheiro.

Mas não eram sempre cheios de flores os dias dessa mulher. Em alguns dias, sem que nada a avisasse, soprava por entre os seus ouvidos um vento de desânimo e ela se trancava no quarto, sem nenhuma explicação, apenas para chorar: às vezes, chorava porque a vida era ruim; outras, porque tinha medo de morrer; e outras, ainda, chorava uma vida ruim porque cada dia a deixava mais próxima da morte.

Saía desses dias cheios de lágrimas com os olhos secos e parados, olhando o vazio e acreditando que já teria engolido um copo inteiro de veneno ou enterrado no peito a faca de cavoucar a terra se não tivesse tanto medo de morrer e não encontrar flores nesse lugar novo para onde iria.

"Tem um circo na cidade", comentou o marido, mais para dizer alguma coisa, enquanto sentava à mesa e esperava que a criada trouxesse os pratos.

"Eu sei. Toda a cidade já sabe".
"E Alba Rosa, onde anda?".
"No quarto, com ataque de tristeza".
"Merda". Depois, completou: "Manda dizer a ela que tem um circo na cidade. Talvez assim tua filha melhore".
"Nossa filha", corrigiu a mulher, enquanto tocava uma sineta para chamar a criada.

Alba Rosa tinha dezoito anos e havia nascido quando, depois de tempos de tentativas e maus comentários, seus pais já se haviam conformado à solidão de serem só dois e se preparavam para uma velhice sem netos. Nascera muito clara e chorara somente o necessário que lhe trouxesse o gosto preciso do ar; em compensação, no seu olhar parado já se adivinhava essa tristeza inexplicável e de poucos motivos que haveria de acompanhá-la em torno da vida.

Às vezes, trancava-se no quarto por dias, apenas beliscando os pratos cheios que lhe preparavam as empregadas com uma espécie de aflição materna e, do lado de fora, se escutavam as profundezas dos seus suspiros. De nada adiantavam as súplicas caladas da mãe ou os gritos de "merda" do pai, dados mais por falta de saber o que fazer do que por qualquer outra razão: ela ficava no quarto o tempo que precisava à cura de sua tristeza e, de repente, saía de lá sorrindo os seus dezoito anos recém-feitos como se nada houvesse acontecido. Mesmo na época das aulas, era assim: enquanto durassem os seus ataques, saía para o colégio como se caminhasse em direção à forca, sem cumprimentar ninguém, e de lá voltava direto ao seu quarto, pedindo a Deus e ordenando a todos que não a incomodassem. De mais, fazia as lições de casa e tirava notas suficientes para se tornar uma boa professora.

Assim, ao cabo de alguns anos dessas tristezas insondáveis, seu pai já se havia acostumado e considerava-as como um problema a ser espantado pelo homem com quem Alba Rosa viesse a se casar. Um casamento, aliás, cuja possibilidade ainda não incomodava os dias da filha, em parte porque era pouco mais que uma criança, em parte porque a vida com que sonhava estava muito além do magistério e do matrimônio: Alba Rosa — e talvez nessa fonte eterna se alimentassem as suas tristezas — queria ser artista de cinema. Uma ideia dividida com poucos, porque a considerariam ainda mais doida do que já pensavam; sonho compartilhado apenas com duas ou três amigas e, numa hora rara de arroubo verbal, com o professor de matemática, que a olhara sem dizer nada e como se olham almas de outro mundo, o que fizera com que Alba Rosa se arrependesse de imediato e decidisse não contar mais nada a ninguém até que aparecesse nas telas.

Não havia assistido a mais do que uma ou duas dezenas de filmes em cinema, porque a sala mais próxima ficava a cem quilômetros da cidade de seu pai, mas essas poucas vezes já lhe tinham concedido a absoluta certeza da decisão: no momento em que os filmes invadiam de luz a escuridão da sala, o tempo e a vida lá fora deixavam de existir, transformando-se inteiramente naquela emoção colorida que enchia a tela. Beijos proibidos e escancarados, corridas frenéticas, suspenses assustadores, tiros que pareciam varar o painel, o ronronar macio do projetor, os sacos de pipoca que ali dentro tinham outro gosto, vampiros tão fantásticos que lhe faziam levar a mão ao pescoço enquanto não desaparecessem, as cidades enormes que engoliam a sala com seus metrôs e rodovias palpitantes, a lágrima muda escorrendo do rosto da heroína no mesmo instante em que o rosto de Alba Rosa estava convertido em choro. Não poucas vezes saía perdida da sala, a luz do sol a ferir-lhe os olhos além do limite, ela pensando e sentindo-se em Casablanca ou Madagascar, até que um puxão no braço e um convite para tomar sorvete a trouxessem de volta.

Alba Rosa queria, sim, ser artista; e, nos períodos longos e dramáticos em que se trancava no quarto, suspiros escutados além do corredor, o que não se ouvia (porque feitos em segredo) eram os ensaios frente ao espelho, as caretas de amor que lançava a um herói imaginário e os desesperos contorcidos que, por certo, mais tarde ainda lhe concederiam prêmios de atuação. Para isso, planejava com toda a sanidade de seu coração adolescente: se até o fim do ano não lhe surgisse uma chance ou ao menos um sinal, estava decidida a fugir de casa, pronta para só voltar quando pudesse trazer na mala um exemplar da revista da qual fosse capa.

Quando a criada anunciou o almoço e falou, olhando a porta fechada, que um circo estava se instalando na cidade, Alba Rosa teve um instante de emoção: um circo não chegava a ser um filme sendo rodado, mas não deixava de ser um conjunto de artistas.

"Vou almoçar", decidiu e tentou anunciar o fato, mas já estava há tantos dias sem falar que teve que se esforçar para lembrar o som de sua voz.

"E minha mãe?", perguntou o prefeito, enquanto Alba Rosa sentava-se na cadeira e dizia bom dia a todos, como se não os estivesse vendo.

"Dona Natélia está tecendo uma colcha nova", respondeu a esposa. "Começou ontem".

"Merda", disse ele. "Ela que fique por lá", e, para a mulher: "Tem que levar um prato de comida para ela".

"A vida inteira se fez isso nesta casa", respondeu Madalena.

A mãe de Teodoro Alegria era uma senhora quase esquecida do mundo que, após a morte do marido, anos e anos atrás, decidira que valia muito pouco ultrapassar os limites do seu quarto, fechando-se dentro de si e daquelas quatro paredes amplas, como em uma espécie de absurda solidariedade ao morto. Mas ainda mais absurdo era o fato de que, mesmo reclusa, não guardava nenhum luto, nem vestia de qualquer peso estes dias de solidão; ao contrário, parecia encará-las quase como uma compensação, como a simples e dadivosa possibilidade de enfim fazer o que queria, e não ter mais que andar atrás dos compromissos do marido.

Nas raras vezes em que saía do quarto, invadida pela presença excessiva de uma manhã cristalina ou incomodada pela falta de luz que acompanhava as tempestades que, em certos dias, abraçavam Galateia, apesar de sua secura de gestos e pequenas palavras, não era uma mulher árida, e o fato de distribuir poucos sorrisos não significava que os negasse. Permanecia no quarto apenas porque achava melhor lá dentro, e vencia o tempo tecendo intermináveis peças de roupa e conversando com um gato ruço, com o pelame sujo de tanto tempo, ou com parentes imaginários ou mortos há décadas.

Uma vez, distraiu-se e tricotou uma colcha de cama que não chegava ao seu final, pronta para presenteá-la a uma tia morta há quarenta anos, e só parou quando ela já enchia o quarto e as criadas reclamavam da dificuldade para abrir a porta. No mais, eram blusões e mantas, xales e gorros, luvas e pantufas de todas as cores e tamanhos que, à falta dos mortos que viessem buscá-las, eram ruidosamente distribuídos por seu filho nas vilas mais pobres da cidade e acabavam por emoldurar corpos, pescoços e pés menos afortunados mesmo nos dias mais quentes. As peças que saíam eram logo repostas, sem qualquer método, pelas mãos infatigáveis da velha, a quem este tecer — e isso talvez nem ela mesma soubesse — era somente uma forma sã de manter-se ocupada e não pensar em bobagens que encurtassem de vez as oito décadas que já lhe começavam a pesar no corpo quase com mais força do que pudesse aguentar.

O prefeito observou a mulher, que comia calada, pensando em rosas e begônias, passou os olhos pelo lugar vazio de sua mãe, mirou a filha que mastigava como se não estivesse ali e suspirou com a força e a intensidade de um cavalo, enquanto enchia pela terceira vez o prato com carne e batatas, resignado a comer num silêncio que não desejava e dando-se conta, provavelmente pela milésima vez em sua vida, por que lhe agradavam tanto as correrias do cotidiano: é que, nos dias imutáveis de sua casa, Teodoro Alegria estava cercado de solidões.

3

Abaixo de um sol escaldante, Teodoro Alegria atravessou a praça para voltar ao Palácio Municipal. Deixou a mulher conversando em silêncio com suas flores, a filha sonhando com que o circo tivesse projeção de filmes e a mãe tecendo com suas mãos claras uma quantidade enorme de peças de roupa que não eram mais, na verdade, do que a sua própria mortalha. Resolveu parar no Café Central, na esquina da praça, apenas para descansar um pouco a perna manca e inchada pelo calor e ouvir o que diziam pelas mesas, enquanto bebia uma xícara de café forte e sem açúcar.

"Merda", comentou, enquanto entrava. "Que calor!".

"O rio continua baixo. Os pescadores já estão reclamando", informou o dono do café, enquanto colocava a xícara e o açucareiro sobre o balcão.

"Que pesquem lá no meio", disse Teodoro. "Ou que esperem. O rio vai encher quando chegar a chuva".

O dono do café pouco entendia dos saberes climatológicos do dono da cidade, mas muito entendia dos cinco filhos que tinha para alimentar e manter vestidos, o mais velho ainda com dezesseis anos, e das burocracias e dificuldades de conseguir o alvará de funcionamento. Por isso, apenas concordou, servindo um café meio borroso que o outro começou a tomar mais por costume do que por prazer.

Mas o doutor Manoel — cujos pacientes, ao pagarem com porcos e galinhas, apenas aumentavam o numeroso rebanho que havia herdado dos pais — não dependia de qualquer alvará e não precisava esconder o quanto lhe desgostavam as fanfarronices do prefeito. Largou a xícara na mesa, onde recém iniciava uma partida de damas, e falou alto, para que todos ouvissem:

"Se fosse em campanha, o senhor não diria isso".

"Se fosse em campanha, eu mandava chover. E o senhor, doutor, o senhor estaria lá na beira do rio, enchendo de xarope as pancinhas vermosas daquelas crianças".

"É a minha função", respondeu o médico.

"Cada um tem a sua", arrematou Teodoro, dando um último gole no café e reclamando do sabor. "Este café está tão ruim que dá até vergonha de pagar".

"Então não pague", informou o dono do café, enquanto passava um pano úmido pelo balcão engordurado onde pedaços de galinha dividiam o espaço com fatias de bolo e sanduíches prontos.

"Meu café também está ruim", afirmou o doutor Manoel. "E se eu não quiser pagá-lo?".

"Aí eu chamo a polícia", respondeu o dono do bar, rindo como se fosse verdade.

O prefeito saiu sem pagar e sem se despedir, disposto a enfrentar de uma vez o calor que cercava a praça em direção à sua sala com ar-condicionado e cortinas fechadas, onde, se não aparecessem muitas incomodações à tarde, poderia inclusive tirar os sapatos e dormir uma sesta.

Mas não durou muito essa esperança. Ao entrar na antessala do gabinete, rente de pressa e sono, aguardava-o um homenzinho com a pele levemente esverdeada e sorriso cheio de dentes de ouro, não mais do que cinquenta quilos, esperando com cerimônia e pernas cruzadas o momento para falar com a autoridade. Teodoro cumprimentou-o com um breve e seco movimento da cabeça e sequer diminuiu a velocidade. Da porta de sua sala, chamou a secretária, que escrevia outro de seus ofícios a serem enviados ao governador ou a seus ajudantes mais próximos, invariavelmente assinados sem ler e acompanhados de um ou outro presente.

"Quem é o marciano?", perguntou, impaciente.

A mulher riu, um riso breve e nervoso de quem não está acostumada, como se apenas se permitisse rir aos dizeres do chefe e nunca mais.

"É o dono do circo. Quer falar com o senhor".

"Pois diga a ele que eu não estou".

E mandou-a sair, pois tinha muito trabalho. Dois minutos depois, quando já estava com os pés descalços sobre a mesa e a camisa inteiramente aberta para esquecer-se do pequeno inferno que era a sua cidade, ouviu três ou quatro batidas tímidas na porta, tementes de acordá-lo.

"Entra", gritou, contrariado, sem mesmo saber a razão por que fazia aquilo.

A secretária abriu a porta e apenas deu dois passos, a fim de que o outro não pudesse escutar.

"O marciano disse que espera o senhor chegar".

"Merda", gritou o prefeito, esperando que o dono do circo escutasse. Depois, refletiu uns instantes e imaginou que a conversa talvez pudesse ser boa, de alguma forma. "Espera uns dez minutos, depois deixa que entre".

Em dez minutos, contados com rigor, o pequenino sorridente anunciava sua entrada com uma pequena mesura, como se estivesse dando início a uma nova sessão de espetáculos, e esperou o convite para sentar-se. Teodoro Alegria fez-lhe um sinal impaciente, apontando a poltrona defronte sua escrivaninha, e o outro acomodou-se como se deslizasse, sem barulho e com moveres melífluos, para depois quedar-se mudo e sorridente sobre o assento confortável, dois olhos aquosos apontando um olhar quase curioso ao redor. Ficaram ambos em silêncio por alguns instantes, estudando-se e aprendendo-se, até que o dono da sala resolveu falar, em parte para mostrar quem imprimiria o ritmo à conversa, em parte porque, quanto mais cedo terminasse o compromisso, mais cedo retomaria a possibilidade do sono.

"Bem", disse o prefeito, e nada mais; era ao outro que cabia o pedido.

Um hálito doce de abacaxis maduros pareceu desprender-se da voz do homenzinho no instante em que começou a falar, e mesmo um homem de pequenas luzes como Teodoro Alegria saberia que, em suas palavras, ecoavam os sotaques dos cinco continentes vivos. A voz do homem envolveu a sala e, de alguma forma, abraçou o dono de Galateia — que, naquele instante, percebeu com inelutável certeza que apenas a dureza absoluta lhe concederia a possibilidade de manter em suas rédeas o rumo da conversação.

"Senhor", disse o homem. "Sou o dono do Gran Circo Internacional Hollywood, do qual talvez já tenha ouvido falar. Há muitas reportagens sobre nós nos grandes jornais de todo o mundo e é uma pena que eu não tenha tido a lembrança de trazê-las para mostrar o que digo", e o dono do circo bateu com as pontas dos dedos na testa, como a castigar-se por tão brutal esquecimento. "Percorremos quase todas as cidades em quase todos os países do mapa e agora é a vez e a hora de darmos a esta adorável Galateia a oportunidade de assistir a uma ou duas semanas do nosso espetáculo internacional. Em todos os lugares próximos, nos falaram bem de seu município; que é moderno e de gente trabalhadora e ordeira, e que seu prefeito é um dos melhores homens de toda a região".

Teodoro Alegria tinha, ainda hoje, a certeza irremovível de que Galateia continuava sendo, como há tantos anos, um tosco amontoado de casas descoloridas e ajuntadas por meia dúzia de ruas sonolentas e cobertas de pó, ao qual os viajantes só chegavam por engano ou obrigação de passagem e sem maiores intenções de retorno. Sabia, também, que os poucos que lhe conheciam o nome pelas cercanias não o tinham em nenhuma conta maior de dinamismo, mas sim como um bem acabado exemplo de déspota menor, cujos braços filtravam em favor de seus bolsos toda a oportunidade de progresso que aparecesse para Galateia. Tudo isso sabia, e por isso soube, enquanto o dono do circo enchia a ele e sua cidade com elogios quase incompreensíveis, que este era um rematado farsante — e, por isso mesmo, merecedor dos mais atenciosos ouvidos e créditos.

"Assim que agora estamos chegando a Galateia, tentando reparar o irreparável equívoco de nunca termos vindo antes". Parou por um instante, todos os sotaques em suspenso enquanto parecia preparar sua pequenina força em direção a uma missão definitiva, como se da frase seguinte lhe dependesse o futuro. "Mas, senhor, me entenda, o circo precisaria de sua benevolência, através de um pequeno favor. Fácil para o senhor, de valor incomensurável para nós". Aguardou uns segundos, apenas para dar força ao discurso próximo: "É que o nosso circo, veja só, sofreu alguns reveses nos últimos tempos. Uma tempestade de neve em Tegucigalpa que nos matou de frio os tigres siberianos, um abalo sísmico em Samarcanda que dividiu ao meio os nossos irmãos siameses, a erupção vulcânica em Macondo que transformou em cinzas secas o nosso aquário de sereias amestradas, os cinquenta e quatro graus de temperatura em Reykjavik que provocaram um ataque de calor em nossa mulher barbada, que só percebeu o tamanho do desastre quando já se encontrava com a lâmina quase cega numa das mãos e um tufo de cabelos mortos na outra, que pelo menos serviram para que pudéssemos tecer uma nova rede de proteção aos nossos trapezistas. Tudo isso, senhor", e ele tremeu a voz, enquanto o outro relutava a acreditar naqueles nomes impossíveis, "tudo isso faz com que, momentaneamente, estejamos atravessando algumas dificuldades financeiras. Por isso, sinto-me na obrigação de pedir-lhe a isenção de todas as taxas e impostos cobrados para a instalação do circo na cidade, além da ligação gratuita da rede de luz".

Mesmo que o pedido não lhe causasse qualquer surpresa, Teodoro achou que era a hora propícia para descarregar as ganas que lhe haviam provocado as incansáveis palavras do outro, e deu um soco ventoso na mesa, apenas para ter o tempo de pensar numa negativa. Mas, antes que dissesse qualquer coisa, já o homenzinho prosseguia, como se verberasse a maior de todas as verdades.

"E não podemos esquecer que o circo é alegria para o povo".

"Também pode ser confusão chegando na cidade".

"O meu circo é só alegria para a família, senhor. Alegria e respeito. Diversão saudável para o senhor e sua senhora".

O tiranete pareceu pensar um pouco. Repousou o queixo talhado a ferro sobre duas mãos que sustentariam troncos, olhou de alto a baixo o metro e meio que sacudia as pernas à sua frente e teve vontade de rir. Ficou assim uns quinze segundos e só saiu dessa custosa imobilidade quando percebeu que o outro permanecia impassível em sua cadeira, pronto para o sim e para mudar o não, e porque mais uma vez lhe veio à mente a possibilidade da sesta.

"E onde é o terreno onde vocês pretendem ficar?".

"Já estamos meio acampados por lá. Fica a duas quadras daqui, uns cem metros depois da igreja".

Teodoro Alegria se lembrou do terreno; pertencia ao município.

"Aquele terreno é meu".

O outro pareceu não ouvi-lo.

"E se a prefeitura pode lhe isentar, eu não posso deixar de lhe cobrar o aluguel".

"Quanto?", perguntou seco o homenzinho; agora negociava.

"Quinze por cento do total arrecadado".

"É muito. Muito!", escandalizou-se o dono do circo, apenas para dar jogo ao jogo.

"É quase nada. O preço é vinte. Faço quinze porque simpatizei com seu sotaque".

"Dez por cento, excelência", o outro contrapôs. "Afinal, é alegria para a cidade".

Alegria tamborilava com a mão esquerda sobre a escrivaninha, e suas batidas faziam saltar as canetas.

"Dez por cento então". Depois, completou: "Só faço este preço porque penso na cidade".

"Disso nunca duvidei. Já haviam me falado", e Teodoro Alegria não descobriu no olhar do dono do circo qualquer brilho de malícia; ele também blefava com os olhos.

"Amanhã, o circo tem luz instalada. O pagamento é diário, direto para mim, aqui mesmo e sem recibo".

O outro sorriu, miúdo.

"E vou lhe trazer umas entradas".

"Não precisa. Em Galateia, entro onde eu quiser".

Disse isso e levantou-se com força, encerrando a entrevista. O dono do circo imitou-o com suavidade quase irritante. Antes de sair, olhou brevemente a janela e comentou:

"Pena que tenhamos que montar o circo abaixo de chuva".

O dono de Galateia buscou no azul transparente do céu alguma possibilidade de acreditar na previsão do homenzinho e não conseguiu encontrá-la. Horas depois, quando decidiu ir para a casa após a sesta e uns tantos documentos assinados, a água que caía era tanta que sequer se escutava o seu praguejar irritado, enquanto cruzava os caminhos momentaneamente prateados das ruas.

4

E sobre as águas instalou-se o circo. Cresceu entre charcos e poças, em meio ao barro e à grama molhada, embaixo de saraivadas de gotas que castigavam e invadiam uma lona furada e cheia de remendos, que em nada fazia lembrar o fausto de Samarcanda. Era um cirquinho miserável, em que o azul e o vermelho da lona eram tão desbotados que chegavam a dar pena, e no qual todo o olhar mais atinado poderia perceber que havia somente uma letra *l* em *Hollywood*, na placa que jazia, mal distribuída em um amarelo pardacento, acima do portão de entrada.

Mas a única pessoa em Galateia que se importava com Hollywood era Alba Rosa, e mesmo esta se detinha com tanta avidez nas notícias sobre os artistas que nunca havia parado para ler verdadeiramente o nome da cidade de seus desejos. Ademais, o último circo que havia passado pela cidade tinha sido o de uns ciganos colombianos, algo assim como trinta anos atrás, no qual um homem imensamente velho chamado Gabriel Melquíades assombrara a todos com sua sabedoria descomunal, recitando versos e versos numa linguagem ininteligível que reverberaram por tempos nos ouvidos da cidade, sem que ninguém jamais sequer desconfiasse que aquilo era sânscrito. Assim, o opaco da lona brilhava nos olhos das gentes e os furos ao seu redor não eram mais que esperança aos moleques sem tostão, que passavam os dias inteiros chamando os anões de palhaços e errando longe as pedradas nos macacos, que, em contrapartida, raramente deixavam de acertar-lhes uns bostaços doloridos e malcheirosos.

Não eram muitos, os do circo. Misturados ao povo que ia até lá apenas para ir-se e para ver se descobriam na montagem da jaula o segredo da mulher-gorila, os artistas luminosos ainda eram empregados do cotidiano, carregando tábuas e batendo pregos, erguendo tapumes e esticando cordas, acomodando cadeiras e espalhando serragem seca sobre o picadeiro, alimentando os animais e comendo, eles mesmos, das panelas. Falavam todos um português arrevesado e único, mesmo aqueles nascidos no Brasil, talvez porque houvessem convencionado que a língua e o circo eram suas pátrias comuns, talvez porque os sotaques de muitos lugares iam se fundindo ao cabo do tempo e se transformando, pelo calor dos dias, na uniformidade do verbo, ou talvez, ainda, porque já se conhecessem há muito tempo e convivessem tanto entre si que já haviam esquecido como se falava de outra maneira. Trabalhavam sobre as águas e sob as ordens do empresário, que não deixava de tocar adiante a sua parte: de um lado a outro, revisava as junções do madeirame dos bancos e refazia-os quando os julgava frouxos, examinava com olhos de dono os nós com que estavam amarradas as cordas e as redes e percorria um a um os buracos da lona, a certificar-se de que dentro destes coubessem os olhos dos meninos da cidade.

Mas, mesmo misturados ao pequeno povo, de longe se notava que os artistas eram artistas e não outra coisa: não errou o primeiro que falou sobre a magia do circo e é provável que essa pequena luz diária se estenda, de alguma maneira e século após século, sobre os seus integrantes. Assim, enquanto martelava uma tábua à outra, o equilibrista empilhava pregos até que quase não mais conseguisse alcançá-los, formando uma flecha metálica cravada ao chão, enquanto os palhaços, ao tentarem ajudá-lo, mais acertavam os seus dedos do que a madeira, com seus martelões de borracha e espuma; da mesma forma, o mágico sentava-se descansado a uma ponta, enquanto, na outra, as cordas iam se entrelaçando, sozinhas entre si, em uma espécie de encantamento que ele provavelmente havia aprendido em Bombaim; os anões repintavam de vermelho os postes e as grades, de cima para baixo e de baixo para cima, caprichosamente instalados um sobre os ombros do outro, cuidando para que não lhes respingasse nenhuma gota de tinta; e a mulher gorda, sentada como uma poltrona na única cadeira em que cabiam as duas partes de sua escandalosa bunda, embalava e comia entre suspiros os doces e pirulitos que seriam vendidos nos dias dos espetáculos.

Apenas a cigana não se envolvia em toda aquela azáfama. Permanecia circulando lânguida entre os construtores, a pele azeitonada e quase brilhante, os braços e mãos de carne exata a chacoalhar suas pulseiras e anéis multicoloridos, o riso portentoso e iluminado e o corpo inteiro rescendente a sândalo perfumando os caminhos pelos quais passava. Rosaura tinha o dobro dos anos que aparentava e a todos dizia, rindo, que essa danação que enfeitiçava e atemorizava os homens era fruto de uma mistura antiga de óleos que não deixava com que se crestasse a pele, e que ela sequer era ela mesma, e, sim, na realidade, sua própria avó. Mas ninguém acreditava nessa história para enganar bobos, porque todos sabiam que o povo de Rosaura havia descoberto há séculos a fórmula da vida eterna e que a avó, grande como uma porta branca, ainda montava cavalos em sua aldeia, às vésperas de completar trezentos anos. Por isso, Rosaura não trabalhava na construção: porque não poderiam asperar-se as mãos imortais que liam a vida e a sorte dos que iriam morrer.

Quem mais trabalhava, em contrapartida, eram os irmãos trapezistas, Rômulo e Remo Echegaray, "Los inolvidables Echegaray", dois enormes ursos audazes que, se algum dia tiveram outro nome, há muito haviam se esquecido disso. Remo era o mais forte e parecia ter em suas mãos o poder de erguer sozinho todo o circo com a mesma facilidade com que cantarolava umas cançonetas que compunha nas noites sem função, numa linguagem arcaica e que apenas o seu irmão entendia. Rômulo era um pouco mais fraco: dava a impressão que, sim, ergueria o circo sozinho, mas que estaria cansado ao final da empreitada. Entretanto, não era a precisão rígida de seus músculos, nem a absurda quantidade de pelos que lhe habitavam os ombros e o peito, que mais chamavam a atenção nele: a primeira coisa que lhe notavam eram os seus absolutos olhos cor de púrpura. Eram olhos de pedra preciosa, que pareciam enxergar mais, tanta a luminosidade, e que incomodavam o sono dos outros nas noites longas em que Rômulo padecia de insônias, a ponto de seu irmão lhe pedir que, mesmo acordado, atravessasse a madrugada de olhos fechados. À violeta de tais olhos já se haviam aprisionado os suspiros e corações de muitas moças, loiras e negras, morenas e índias, amarelas e ruivas, espalhadas pelas cidades e povoados vários por onde passava o circo, e que restavam marcadas, na tristeza posterior de seus dias mesmos, por uma pálida luz purpurada que as circundava, fruto da primeira vez em que Rômulo as olhara com maior intensidade. Talvez por esses olhos — e talvez não, o fato é que treinava todos os dias, repetindo exercícios até cansar-se e jogar-se, estirado, do trapézio à rede —, ele conseguisse realizar com tanta perícia o truque mais difícil, o triplo mortal com olhos vendados, e que o dono do circo apresentava como muitas vezes tentado e poucas vezes conseguido: porque, por mais que lhe obscurecessem os olhos com vendas de todas as cores, a verdade é que a lâmina cristalina que lhe brotava dos olhos permitia que enxergasse como se estivesse com o rosto descoberto. Por fim, a cor inexata dos olhos de Rômulo tinha um único endereço tranquilo, no qual ele sabia que não deixaria suspiros cortando o ar, porque a imortalidade de Rosaura lhe conferia também o poder inteiro sobre o seu próprio coração: assim, nas noites e dias de maior fome, o trapezista e a cigana misturavam seus cheiros e luzes nos quartos de um ou outro, ou mesmo detrás dos carroções, de maneira que, na manhã seguinte, ninguém conseguia deixar de perceber o púrpura que se misturava ao azeviche dos olhos de Rosaura, nem o aroma de sândalo que trescalava por todos os músculos de Rômulo.

Maravilhados com a faina e as novidades, os moleques de Galateia acompanhavam cheios de contentamento o levantar daquela lona octogonal e multicolorida, escapando da chuva como pequenos raios terreais, a correr entre as jaulas e carroças e aparecendo, solitários ou em bandos de algazarra, nos caminhos do trabalho. Movia-os mais a curiosidade do que qualquer outro tipo de expectativa, porque nenhum deles havia assistido a um circo de verdade; um ou outro talvez já houvesse visto alguma foto colorida nas páginas de qualquer revista e seguia procurando com olhos desejosos o mesmo elefante que, na fotografia, equilibrava-se com paciência paquidérmica sobre uma enorme bola vermelha; outro talvez tivesse escutado sobre as maravilhas que eram as acrobacias e os saltos dos tigres-dentes-de-sabre, cujo rugido quase desequilibrava as grades das jaulas que, precária e assustadoramente, os aprisionavam; mas a maioria, quase todos, não tinha a menor ideia do que poderia ser um circo. Por isso, tudo era novidade que a garotada bebia com uma sede voraz e bonita, encantando-se com os animais que dormitavam e fediam tranquilos em suas carroças, tentando imitar os movimentos precisos do mágico, enfeitiçando-se pelo cheiro de sândalo que exalava de Rosaura e intrigando-se com aquela figura calada e triste, de faces pálidas e glabras, de quem lhes disseram ser a antiga mulher barbada, agora condenada — por sua própria irresponsabilidade — a seguir apenas como partner dos outros artistas, alcançando argolas e segurando pombos e lenços retirados de cartolas.

Em todos os fundões em que o circo costumava se apresentar existiam esses meninos, que sempre moveram a história circense com sua alegria e curiosidade. O dono do circo sabia disso e, em todas as cidadezinhas, reservava meia dúzia de ingressos aos que mais rapidamente distribuíssem suas propagandas pela cidade. As dezenas de meninos saíam álacres com seus papeizinhos na mão, enquanto o circo tinha, graças à infância, a sua publicidade garantida.

E quando a meninada já começava a sair, dois ou três em vantagem nas suas bicicletinhas gastas, o empresário ainda encontrava tempo para avisar, olhando um céu que se lavava em águas que pareciam não ter fim:

"O circo estreia quinta-feira, depois que parar a chuva".

5

No caminho aluado da volta do colégio, pingos de chuva branca umedecendo-lhe os sapatos grossos, Alba Rosa parou em frente ao terreno onde, impávido, crescia o circo. Parou por uns instantes, não porque tivesse tempo de sobra, mas porque estava esquecida do tempo — e ficou olhando os trabalhos que se estendiam desde a metade da manhã. Um dos anões — justamente o menor, que espalhava a todos ser o menor homem do mundo e que isso só não estava oficialmente documentado porque nunca conseguia alcançar os balcões dos correios para mandar ao livro dos recordes a informação —, que carregava com dificuldades um balde amarelo quase do seu tamanho, parou por um momento o trabalho e acenou para Alba Rosa. Ela sorriu, tímida, e respondeu ao cumprimento, enquanto imaginava como seriam as cores de uma vida no circo, parecendo-lhe quase agradável a confusão que enxergava de longe. Talvez fosse interessante toda essa correria, pensou sem maior consequência e com a leveza que lhe permitiam seus dezoito anos.

Não durou nada essa ideia: enquanto ainda pensava nela, lembrou-se de olhar as horas e sua atenção voltou-se ao que lhe mostrava o reloginho de pulso. Quase uma da tarde, assustou-se, em casa já deveriam estar almoçando, sua mãe de olhos baixos e floridos e o pai bufando inutilmente de raiva, enquanto não conseguia pensar em nada mais do que merda, merda, merda. Melhor apressar o passo e encontrar uma desculpa convincente pelo caminho, pensou, tentando lembrar-se onde havia gastado todo esse tempo distraído de saída da escola.

Mas também essa preocupação foi momentânea. Ao levantar os olhos, enxergou outra vez o circo que se erguia. Dois homens levantavam aquilo que, mais tarde, seria o letreiro. A palavra "Circo" já lá estava, no amarelo desmaiado e sujo que, de longe, pouco aparecia e dava às letras uma enganosa aparência furta-cor. Alba Rosa interessou-se por aquele movimento e procurou uma pedra, um toco, um pedaço de papelão para sentar-se sem sujar o uniforme. Como não conseguiu, ajeitou-se no chão, alheia à água, os livros e a pasta ao seu lado, observando com interesse medido as letras que, pouco a pouco, iam se incorporando graças à força dos dois homens.

Quando o letreiro ficou pronto e Alba Rosa viu a palavra *Holywood* enorme e brilhando para si como se as letras fossem fosforescentes, o lugar dos seus sonhos homenageado no meio da cidade do seu pai, foi que ela decidiu, sem qualquer vontade de voltar atrás: iria assistir à estreia do circo.

6

Na manhã de quinta-feira, às margens barrosas do rio e embaixo de uma chuva cujo volume parecia ter anos, o prefeito observava satisfeito o crescimento revolto das águas e o brilho piscoso que serpenteava em restos de vida nas redes dos pescadores. O rio corria com força, margens altas e águas redivivas, os homens plantados nas beiras ou equilibrando-se nos caminhos inexatos das canoas, felizes nessa festa de retomada dos peixes. Teodoro Alegria apenas olhava os movimentos estudados dos pescadores, sua observância das águas e a leveza abrupta das redes que se fechavam em direção à sobrevivência. Olhava-os, plantado ele também, os pés enterrados na lama com uma solidez quase atávica, os braços cruzados em frente ao peito de general, mirando-os com uma placidez de grande pai e uma satisfação política só percebida no fulgor de seus olhos. A perna manca, à qual ainda não se acostumara totalmente mesmo passados mais de trinta anos do coice do cavalo, dificultava um pouco os movimentos no barreiral: como os pescadores nas canoas, era necessário cuidar-se para se manter bem de pé — mas ele não cairia nessa lama, nunca: a um prefeito não é dado o direito de tombar em frente a pescadores.

Ao lado de Teodoro, estava o líder da cooperativa de pesca, um feixe de músculos crestados ao sol e curtidos nas chuvas de uma vida inteira junto ao rio. Embora pequeno, dava a impressão de, ali no seu lugar, ser a fortaleza mais dura. Mirava as águas com olhos experientes, que descansavam sob a aba de um boné de uma antiga campanha política.

"Com essa água toda, ninguém mais reclama", comentou Teodoro.

O pescador concordou.

"Imagina que, lá na cidade, os merdas da oposição já queriam me culpar pelo rio seco. O doutor Manoel, o maior de todos, já me disse isso".

O pescador concordou.

"Aquele não vale nada. Nunca trabalhou de verdade e acha que ficar apertando barriga de criança é grande coisa".

O pescador concordou — embora os apertões do doutor Manoel já tivessem livrado da dor de vermes as barrigas de quatro dos seus cinco filhos.

"Vê se aqueles merdas vêm embarrar os sapatos no rio! Nem sabem o que é pisar na lama", esbravejou o prefeito, enquanto escorregava no caminho de volta ao automóvel, acompanhado pelo pescador. "Mas eu, de quem eles vivem falando mal só porque não têm outra coisa a fazer, eu estou aqui, firme com vocês!", comentou, sinceramente esquecido dos dias secos em que todos os compromissos o haviam afastado do rio.

O pescador concordou.

Teodoro Alegria chegou com alguma dificuldade ao jipe da prefeitura, mas olhou aquele homenzinho repleto de fôlego ao seu lado e considerou que não ficaria bem reclamar de qualquer cansaço.

"Imagina o doutor Manoel caminhando por aqui! Já ia estar com a bunda de pelica toda suja!", e gargalhou sua risada imperial, que conseguiu esfogueá-lo ainda um pouco mais e obrigou-o a sentar-se ao volante do carro. "Já desistia na descida".

O pescador concordou, enquanto o prefeito lhe fazia um sinal para que aguardasse: no banco de trás, estava uma caixa cheia de blusões, gorros, luvas, mantas e meias, que sua mãe havia tecido nas noites e dias claros, com o critério único do desvario.

"Isso é para vocês. Mandei fazer especialmente. Distribui aí para a tua gente e diz que é uma lembrança minha".

O pescador agradeceu, examinando a roupa com olhos agora inexperientes, e correu ao seu casebre para buscar uma retribuição. Voltou de lá sem a caixa e com um peixe grande e luzidio pendurado em sua mão esquerda, dourado medido para ser ensopado com legumes, e pelo que o prefeito agradeceu com louvores sinceros.

"Me traz mais um que a casa é grande", e, embora não fosse uma ordem, a autoridade da voz não deixava que o pescador pensasse que aquilo fosse apenas um pedido. Correu de volta à casa e de lá trouxe outro peixe semelhante, volume morto e prateado balançando-lhe nas mãos.

"Melhor se tivesse trazido um jornal para enrolar", reclamou o prefeito, enquanto atirava os dois peixes no assoalho do jipe. "Assim o carro não pegava cheiro".

O outro pediu desculpas pelo esquecimento; depois, como fosse o líder, perguntou mais uma vez e com a mesma timidez de sempre pela escolinha prometida no mandato anterior.

"Cada coisa no seu tempo!", exclamou Teodoro Alegria. "Vocês têm o rio e um monte de roupas novas, que esperem um pouco mais pela escola. Não dá para fazer tudo de uma vez".

O pescador assentiu, era verdade.

"E agora, hora de voltar para a prefeitura", tirou o relógio do bolso no momento exato em que, pela primeira vez nos últimos dias, a chuva cessava. "Merda! Onze e meia. Mais tarde do que eu pensava".

Olhou para o céu e a claridade das nuvens deu-lhe a certeza de que a chuva havia terminado. "Choveu o tempo certo para encher o rio", comentou, enquanto arrancava o carro em meio ao barral do caminho e se despedia com um gesto largo e autocrático, para que todos se sentissem cumprimentados — mais que isso, cumprimentados pelo prefeito.

Foi direto para casa, porque já era hora do almoço e a fome do meio-dia lhe incomodava o estômago, poderosa e intratável. Percorreu com tranquilidade a estrada que se aclarava um pouco mais a cada instante, o sol cálido que ressurgia por trás das nuvens e à frente dos dias de águas incessantes, enquanto relembrava sorridente a alegria respeitosa dos pescadores quando o viram chegando, apenas para verificar se estavam bem.

Sempre fora assim, Teodoro Alegria, e dessa forma conseguia manter com a mão mais ampla a fatia de poder que, no mundo, lhe cabia: com a mesma facilidade com que trabalhava seu mando, trazia para o seu lado, qual cúmplice fraterno, o único elemento que lhe escapava do controle em toda Galateia — o tempo.

7

A noite de quinta-feira estava tão luminosa que parecia ensolarada. E como se sabe que, a quem contar estrelas lhe nascerão verrugas nos dedos, as gentes de Galateia sequer levantavam os braços ao céu, porque eram tantas e tão brilhantes as estrelas que um nada já lhes encresparia para sempre as mãos ásperas do cotidiano. O céu quase se contava ao contrário: em vez de brilhos pontilhando a escuridão, era um negror abatido que, às vezes, interrompia o fulgor que eram as estrelas todas, leitosas, clareadas, recompensando-se das noites em que haviam dormido recolhidas. E acompanhava esse brilho um tempo bom, aprazível, o vento claro e medido, que bem secava as águas cujo excesso enchia as ruas malcuidadas da cidade.

À medida que iam desaparecendo as águas, reapareciam as pessoas. Saíam das casas em que se haviam abrigado durante os dias de chuva intensa, abriam as janelas para que fugisse a umidade, jogavam fora em baldes a água que recolhiam escorrendo das paredes, botavam as cadeiras descansadas nas varandas, iam até os portões apenas para sentirem o brilho seco das estrelas. Não que lhes desagradasse a chuva, mas, sim, a demasia, a água inclemente que não descansara um segundo em todos aqueles dias, que não lhes permitira qualquer golfada de ar seco em quase uma semana. Por isso, agora, com gestos miúdos e homenagens sem saber, saudavam todos essa noite enxuta.

E o circo também saudava a todos nesta noite.

As pessoas que saíam às ruas saíam ao circo. Os garotos e suas bicicletas doidas haviam cumprido o seu papel: a cidade sabia da estreia, engalanava-se para esperar os palhaços e trapezistas, artistas iguais àqueles que há tanto tempo não vinham e que só alguns mais velhos conheciam. Junto aos meninos, menores que eles, os anões também haviam percorrido a cidade chuvosa em suas pernas curtas e distribuído uns panfletos com fotos de outro circo qualquer e que eram a propaganda mais luxuosa do Holywood. Percorriam as casas e, aos pulos, colocavam os folhetos entre as grades das janelas ou então os entregavam às pessoas que encontravam nas ruas e que paravam para vê-los, sem entender muito bem quem eram aquelas criaturinhas que lhes cutucavam as cinturas. No café, haviam parado uns minutos para tomarem um refresco e conversarem com os poucos que haviam enfrentado a chuva para tentar os prêmios do dominó, enquanto deixavam no balcão um maço de folhetos, que o dono do bar logo reparou serem bons papéis de rascunho. Passaram pela rua das lojas e aquele brilho enlameado ganhou uma alegria diferente caminhando entre as poucas vitrines e prometendo o fim da chuva e o início do circo. Na floricultura da mulher do prefeito também passaram os pequeninos, tomando cuidado com as plantas carnívoras e interrompendo a conversa da dona com uma turma de begônias que ainda se aclimatava, para convidá-las todas ao circo que estrearia na quinta-feira, logo que acabasse a chuva.

"E como é que vocês sabem que a chuva termina na quinta?", ela perguntara.

"Algumas coisas as pessoas do circo têm que saber", respondeu sem responder o menor anão do mundo. "Quinta-feira à noite, a senhora assiste ao circo bem sentada no seco".

(Antigamente, talvez quando este conjunto de pequenas desgraças ainda não havia se abatido sobre o circo, deixando-o capenga e reduzido a três dezenas de mambembes que se revezavam em tudo, seu dono fazia questão de entrar nas cidades com aquilo que, entre pequenas falhas no microfone, costumava chamar de desfile triunfal. Surtia efeito: o povo se impressionava com os animais adormecidos em suas jaulas enferrujadas, os malabares cômicos dos palhaços, o garbo encantado dos trapezistas, e enchia de alegrias simples as arquibancadas do circo, desejosos todos de risadas e pipocas, sustos e maçãs carameladas, suspense e algodão doce. Eram tempos melhores, suspirava o dono do circo, tempos sepultados pelo tempo. Agora, não mais: entrar numa cidadezinha com fanfarras pela metade traria ao povo mais pena do que prazer, mais desencanto que expectativa. Ademais, os lugares em que o circo ainda conseguia se apresentar eram tão desprovidos de tudo, tão desvalidos, tão sem importância que sequer mereceriam a organização de um desfile — como esta Galateia esquecida, onde sequer havia gente para que pensasse em alongar a temporada. E, por fim, toda esta chuva, a água inacreditável que caía como se não fosse parar nunca: não valia a pena molhar os uniformes puídos na frente de ninguém.)

Mas agora, nesta noite seca, o circo saudava a todos, homens, mulheres, crianças, felizes em suas roupas domingueiras, cumprimentando-se uns aos outros para que bem se vissem e soubessem que estavam todos lá, homens, mulheres, crianças, chegando e se acomodando nas arquibancadas e numas cadeiras de palhinha cujos pés afundavam na areia úmida e que, circundadas por uma cerca de ripas amarelas, recebiam o pomposo nome de camarote e nas quais se acomodavam, superiores, os comerciantes das lojinhas centrais, alguns funcionários, os pequenos donos, homens, mulheres, crianças a comerem seus doces e salgados temperados com guaraná e coca-cola enquanto não começava aquilo que um cartaz lá fora definia como o maior espetáculo da terra, homens, mulheres, crianças, coloridos sob a lona colorida, a serragem levantada por seus passos, loucos de vontade de mexer nas correntes e nas estruturas de sustentação apenas para descobrir como funcionavam e apurando os ouvidos para tentar escutar algum apressado rugido das feras que a imaginação dos garotos das bicicletas tratara de multiplicar, homens, mulheres, crianças, sem saber muito o modo de se comportar, se assoviar era necessário ou bater palmas já era o suficiente para agradecer essa novidade na mesmice de suas vidas, homens, mulheres, crianças a comentarem entre si suas preferências, as mulheres suspirando à coragem dos equilibristas e os homens abrindo seus votos à mulher que dançava carregando tochas de fogo e à parceira do atirador de facas, que enfrentava a morte todas as noites com um sorriso no rosto e ainda encontrava forças para vender balas quando não estivesse se apresentando, as crianças a escolherem entre os animais e os palhaços, os primeiros porque as assustavam, e os outros, porque as libertavam do susto, homens, mulheres, crianças a olharem o relógio e perguntando por que não começava logo o espetáculo, desejando que apagassem as luzes e se acendessem nelas magias inexplicáveis, homens, mulheres, crianças, todos eles crianças.

    Teodoro Alegria chegou cedo, um pouco para cumprimentar o povo, outro tanto para verificar o número dos presentes e garantir o percentual a ser cobrado mais tarde. Levou com ele a esposa, tranquilamente calada, e a filha, que olhava interessada para todos os lados, buscando descobrir por ali algum glamour. Alba Rosa observava o madeirame antigo das arquibancadas, as estruturas descascadas de ferrugem, os pedaços de noite luminosa entrando pelos furos da lona, os remendos mal cerzidos que enfeitavam de pobreza o fardão do porteiro, e percebia que a cidade dos seus sonhos não morava ali, enquanto começava a embarcar numa vaga de tristeza e a arrepender-se por não ter ficado em casa. Madalena Alegria, por sua vez, olhava as cores que enchiam os assentos e decidia que suas flores eram ainda mais coloridas, mas não sofria por isso; fazia bem estar ali, acompanhando o marido, a assistir a essa função tão rara em Galateia.

Já ao prefeito importava pouco um espetáculo que não fosse ele próprio. O circo — como a igreja, o clube, a praça, o café — servia de cenário para o cotidiano exercício do poder.

Sentou-se sem qualquer consulta no camarote mais central, o peso de seu corpo fixando na serragem os quatro pés da cadeira, e pensou que um bom circo teria lonas estendidas no chão. Mas não ficou sentado por muito tempo. Disse à mulher e à filha que era hora de circular e foi o que fez. Andou por entre as arquibancadas, gozando o olhar de respeito meio temeroso que lhe dirigiam alguns, respondendo com dignidade medida aos cumprimentos, a ignorar os que o ignoravam, parando umas poucas vezes para um comentário qualquer e, mais que tudo, sentindo o prazer de incomodar com sua passagem aqueles de quem não gostava. Nas maneiras estendidas de Teodoro Alegria, em seus gestos e olhares, em tudo havia essa ciência tranquila do poder. E, aureolado pela força antiga que já lhe vinha do pai e do avô, seguia pelos corredores e passagens entre as arquibancadas, calculando bem o número de presentes e o dinheiro que ganharia, quando sentiu um fogo negro às costas, que o fez tremer de uma maneira nova e desconhecida. Voltou-se e quase não conseguiu sustentar com os olhos a mirada que lhe dirigia a cigana.

"Quer ler a sorte, prefeito?".

"E quem disse que eu sou o prefeito?", engasgou-se ele, sem perceber.

A cigana riu — e Teodoro Alegria tremeu de novo com o fragor daquela risada.

"Se eu não soubesse isso, não leria a sorte".

Um piscar de luzes salvou o prefeito de enfrentar pela primeira vez uma batalha com medos de perdê-la.

"Agora, não. Vai começar o espetáculo", mas o olhar da cigana continuou a aprisioná-lo, e Teodoro não conseguiu mais do que pedir-se um tempo para se recompor.

"Depois, pode ser. No fim da função".

"No intervalo", acedeu a cigana, enquanto se afastava sem outra palavra, deixando Teodoro Alegria perdido no meio de luzes novas e de um aroma de sândalo que ele sequer conhecia.

"No intervalo então", respondeu ele, mas ela já não o escutava; outras sortes e futuros havia a serem lidos naquele fim de mundo.

Teodoro Alegria pouco prestou atenção ao espetáculo. Não riu dos palhaços mal ajeitados em seus sapatões de solas soltas e cujas gravatas espirravam águas e flores de papel, não se assustou com os bramidos velhos de um leão que dava voltas e voltas ao redor de seu domador como se apenas pedisse para voltar ao sono do qual o haviam tirado, não prendeu a respiração junto com os demais quando o atirador de facas teve em suas mãos a vida da moça que ainda há pouco vendia balas ao público, não se surpreendeu com o mágico equilibrista que fazia malabares com sete bolas invisíveis ao mesmo tempo, sem deixar nenhuma cair ao chão. Sentado sem repouso na cadeirinha palhiça do camarote central, também não percebeu o silêncio triste de Alba Rosa, nem os olhares descoloridos que a esposa lhe entregava a cada tanto, apenas para ter a certeza de que o marido ainda estava ali; nem quando o dono do circo agradeceu a generosidade grandiosa do prefeito e encomendou à plateia uma salva de palmas que veio acompanhada de assovios e vaias mal disfarçadas. Madalena Alegria precisou cutucá-lo duas vezes e avisá-lo para colocar-se de pé e sorrir em todo o seu tamanho em meio àquela luz azul focada em seu camarote e que, subitamente ligada, emprestara aos três uma aparência rara de fantasmas. Ele levantou-se e pouco soube de onde vinham os aplausos, nem tentou adivinhar as vozes conhecidas cujos apupos cautelosos sempre se misturavam aos barulhos anônimos da multidão; apenas agradeceu às frases não ouvidas do dono do circo com dois braços estendidos como se abençoasse aquele povo que sempre julgara seu e um sorriso rígido no qual apenas Rosaura, de costas e do outro lado do picadeiro, conseguiu perceber o laivo recém-nascido de preocupação.

8

"E então o senhor veio mesmo ler a sorte, prefeito?", a voz de Rosaura, mesmo sem esforço, parecia maior que todo o bulício do intervalo em que ela também se encontrava, quando as pessoas renovavam suas pipocas e refrigerantes, compravam os narizes plásticos e vermelhos dos palhaços, comentavam as maravilhas novas a que ainda há pouco haviam assistido ou simplesmente iam ao banheiro para melhor aproveitar a segunda parte.

"Sim. Eu disse que viria no intervalo e estou aqui", parou um instante antes de continuar. "E se isso a surpreende, talvez não tenha sido uma boa ideia".

A cigana riu e pareceu ao prefeito que aquele riso congelava os movimentos de todo o circo.

"Me dê a sua mão".

"Não aqui", conseguiu ordenar Teodoro Alegria. "Um prefeito não pode deixar que leiam sua mão na frente do seu povo. Aqui em Galateia, o futuro passa por mim".

"Vamos para a minha tenda então. O senhor é quem manda".

"Não é preciso ler o futuro para saber disso".

Rosaura deu nova risada e o prefeito achou que aquele gargalhar era um perigo cujo risco certamente valeria a pena. Depois, como se apenas andasse sozinha num campo antigo, a mulher pegou na mão de Teodoro Alegria para levá-lo ao seu canto e ele deixou-se ir, sem prestar atenção ao burburinho suspenso das pessoas nem à tristeza renovada no olhar longínquo de Madalena.

A cabine da cigana era um espaço pequeno e escuro, rodeado por cortinas pesadas, onde havia apenas uma pequena mesa de madeira gasta e duas poltroninhas de veludo amarelo, postas todas sobre um tapete despontado e que devia ter sido salvo pela metade de alguma tragédia enfrentada pelo circo duzentos anos atrás. No canto da mesa, o incensário parecia ter guardado em si o mesmo aroma de sândalo de sua dona. Separando a cabinezinha da escuridão completa, havia apenas uma penumbra avermelhada, que concedia à pele escura de Rosaura um calor ainda maior do que o normal e emprestava a Teodoro Alegria o ar sem salvação de uma montanha em chamas.

"E como é possível enxergar o futuro nesta escuridão vermelha?", provocou o prefeito.

"Há coisas que não se perguntam a uma cigana", respondeu Rosaura, como se houvesse respondido. Então, sentou-se e dispôs a mão azeitonada sobre a mesa, esperando que o prefeito lhe entregasse a sua. Mas o homem, intranquilo, agora parecia indeciso e apenas olhava o tapete como se procurasse nele qualquer marca ou desculpa.

"Eu trouxe este tapete da minha aldeia, na Rumânia. Está comigo há trezentos anos".

Teodoro Alegria não riu do que talvez fosse uma piada. Apenas permaneceu em pé, alisando com a perna manca as bordas daquele tapetinho que atravessava séculos testemunhando sortes e futuros, e subitamente sentiu-se ao mesmo tempo feliz e envergonhado por estar protegido naquele quadrado fechado por cortinas escuras, porque só assim não havia ninguém para vê-lo, talvez pela primeira vez na vida, sem saber o que fazer.

"Sente-se, prefeito", disse a cigana. "Sente-se e me dê a sua mão".

Ele atendeu a ordem da mulher. Acomodou com cuidado na cadeira amarela a solidez poderosa de seu corpo e estendeu sobre os dedos anelados da cigana o peso de sua própria mão. Ela ficou uns instantes em silêncio, como se verificasse nas linhas sanguíneas daquela palma o que era mesmo importante. Depois, levantou os olhos avermelhados pela meia-luz e ouviu-se em sua voz imperceptivelmente trêmula uma amargura que parecia ir além do que iria dizer ao prefeito.

"O senhor vai sofrer uma derrota", disse ela, e nada mais.

"Não perco para ninguém em Galateia", ele bravateou, relembrado de sua condição de dono da cidade.

"Eu sei", disse ela. "Todos sabemos. Mas está aqui na sua mão: o senhor vai sofrer uma derrota. Não, uma derrota, não. Uma perda".

"Não perco para ninguém em Galateia! Não perco para ninguém, cigana!", repetiu Teodoro Alegria, à falta do que dizer. Havia em sua voz uma súbita incerteza, porque os olhos de Rosaura pareciam ter séculos de acerto e lhe diziam aquela frase com o desamparo que costuma acompanhar as verdades tristes.

"Mais educação dentro da minha tenda. O senhor não precisa repetir que não perde para ninguém em sua cidade. Isso não vai ser quebrado: o senhor não perderá para ninguém em Galateia. Mas perderá".

E depois, como se pudesse ser consolo:

"Nós perderemos".

Teodoro Alegria saiu da tenda da cigana sentindo um peso novo. Havia em seu estômago certa angústia indizível, que não combinava com seus dias poderosos nem com a altivez tranquila que precisaria ter num espetáculo de circo. É que conhecia todos os seus adversários, que sequer chegavam a ser isso; eram mais um bando desorganizado de palermas, cada um gritando para o seu lado, e que, em nenhum momento sequer, o havia ameaçado nas décadas tantas em que sua palavra era a única cuja verdade valia em Galateia. Mas essa cigana de olhos mergulhados em mistérios, porque era a primeira vez que o via e porque nada conhecia da cidade, sem qualquer motivo que não o de dizer-lhe o que verdadeiramente havia enxergado, lhe havia anunciado, sem medo ou dúvida, que haveria uma derrota, uma perda.

Assentou-se na cadeirinha do camarote quando já começava a segunda parte do espetáculo. Alba Rosa comia um algodão-doce e não prestou maior atenção à volta do pai, na esperança de que algo acontecesse dali em diante. Madalena era um olhar que pedia explicações.

"Fui ler a sorte", disse ele, a justificar-se. "Vocês também podiam ter ido".

"Bobagem", comentou a filha, mais para contrariar o pai do que qualquer outra coisa; a verdade é que teria gostado de saber para quando o seu futuro lhe reservava Hollywood. Madalena, não: não tinha mesmo vontade de saber a cor dos dias vindouros, talvez porque estivesse bem instalada no presente, com suas flores, a ausência aluada da filha e a presença volumosa do marido em sua vida. Por isso, e porque não queria enxergar os olhos de quem pegara na mão de Teodoro Alegria com tanta simplicidade, havia decidido que não faria parte das vidas lidas pela cigana, e assim escapara de saber que morreria daí a dois anos, num domingo claro pela manhã, enquanto aguava suas plantas.

O prefeito resmungou algo e tratou de calcular novamente quantas pessoas estavam naquela estreia e de prestar alguma atenção à segunda parte do espetáculo. A cigana, que agora o olhava do outro lado do picadeiro com algo parecido a um sorriso sem remédio, talvez fosse apenas uma charlatã centenária cuja função era impressionar os mais desavisados. Bobagem, pensou o prefeito, ninguém aqui pode me derrotar. Bobagem, repetiu, no momento em que entravam no picadeiro os grandes trapezistas irmãos Echegaray, e Rômulo, percorrendo com os olhos a plateia inteira, encontrava o olhar quase adolescente de Alba Rosa.

9

O olhar púrpura de Rômulo Echegaray envolveu Alba Rosa num manto leve de nudez e, naquele momento, pela primeira vez desde que havia iniciado seus sonhos de dias claros, Hollywood deixou de ser para ela a única possibilidade, porque soube que o seu lugar precisaria ser sempre ao lado do trapezista, fossem esses tempos em direção às maravilhas das grandes cidades, fossem eles enterrados nos lugares que, como Galateia, estavam perdidos em espalhados fins de mundo. Não foram os músculos inarredáveis do homem, nem o calor que ele atirava e recebia de todas as outras mulheres que agora iriam assisti-lo enfrentar a morte em malabares nas alturas, seguro apenas pelas fortalezas que eram os braços de seu irmão, nem mesmo aqueles olhos que pareciam perfurá-la mesmo quando se fechavam e que a obrigavam, sem saber, a manter a respiração suspensa. Nada disso e tudo. Não havia o que explicar, nem Alba Rosa conseguiria fazê-lo. Mas quando o olhar do homem voltou a ela depois de ter agradecido com seus raios a presença de todas as outras pessoas no circo, e pareceu à garota que não lhe bastasse o ar inteiro de Galateia para desafogar-se e mandar a ele um beijo escapado de seus lábios novos, Alba Rosa soube.

Era ele.

Rômulo Echegaray abraçou a plateia com seus olhos acostumados a encantamento e, por um segundo do qual sequer se deu conta, sua mirada tremeu quando alcançou a adolescente indefinida que dividia o camarote com aquele portento de ar preocupado e uma mulher com expressão de nada. Ainda que moças iguais àquela estivessem em todos os caminhos do circo e vez por outra fossem parar sem compromisso nos lençóis descuidados de seu carroção, o trapezista encontrou naquela cujo nome sequer sabia ser Alba Rosa um fulgor raro e que só os mais experientes, como ele próprio, conseguiam perceber. Não era mais bonita que qualquer outra, nem se adivinhava qualquer inteligência maior no jeito enfeitiçado pelas violetas breves que Rômulo lhe jogava ao piscar; não era isso. Nunca era isso: se os mais bonitos escolhessem apenas os mais bonitos e por eles fossem sempre escolhidos, o mundo não seria mundo. A garota respondia aos olhos de Rômulo com um olhar tão intensamente maravilhado que o trapezista teve medo que desfalecesse à hora em que ele saudasse os outros lados do público, mas não — quando voltou a despejar nela os seus raios púrpuras de encantamento, a moça continuava lá, pronta e certa. Era algo que não se explicava e nem precisava ser explicado — um sobressalto, tremor indizível no sangue. E, quando a menina, num arroubo de quem conhece

mesmo sem conhecer, afastou da boca a ponta dos dedos e atirou-lhe um beijo que só poderia ser percebido por ele e por mais ninguém, Rômulo Echegaray soube.
    Era ela.

10

Morrer havia feito bem ao pai do prefeito. Ainda que sentisse o passar dos anos, e a velhice continuada após a morte por vezes lhe roubasse alguns movimentos que antes pareciam tão fáceis, o fato é que Honorato Alegria se comportava com certa cordura que nunca havia imaginado em vida. Em seus dias terrenos, não tivera tempo para nada além de amealhar dinheiro e poder; agora, nesse além-infinito em que gastava seus dias mesmos, conseguia enxergar detalhes pretéritos aos quais nunca havia prestado maior atenção, e era com uma espécie de desvelo recém-nascido que observava as rugas que listavam seus pesos no rosto da esposa. Enquanto Natélia tecia e destecia as incontáveis peças de roupa com as quais enchia o quarto e o tempo, ele a auxiliava com a atenção carinhosa à qual ela mesma, tantos anos após a morte do marido, ainda não estava bem habituada. Assim, eram ásperos os carinhos de ambos: dele, porque tantos anos de dureza e poder o haviam distanciado dos caminhos da delicadeza; dela, porque as décadas que vivera ao lado do marido a haviam encastelado numa secura intangível e também, é claro, porque ninguém se acostuma inteiramente a acarinhar fantasmas.

Por isso, na noite da estreia do circo em Galateia, Honorato Alegria estendia as mãos em paralelo, suspensas ambas no mesmo ar com que se confundiam, para que Natélia pudesse estender nelas a linha lanosa e vermelha do novelo com que já começara a tricotar um blusão. Ela estava sentada na poltrona de chenile marrom-claro que já tinha as formas de seu corpo magro, iluminada pela luz insuficiente do enorme abajur com que o filho a havia presenteado quando decidira colocar em prática, mesmo sem saber, seus votos de solidão. No colo, como se não existisse, o gato dormia um sono sem interesse. O marido, sentado no canto da cama que, durante tantos anos, ocupara sem maiores atenções, agora percebia o quanto o móvel era grande, ao tempo em que em cima da colcha estavam, cuidadosamente dobradas, dezenas de peças de roupa que iriam, na semana ou mês seguinte, para os corpinhos das crianças das famílias eleitoras. Ao redor da cama também: as roupas estavam espalhadas pelo resto do quarto, sobre a cômoda e o criado-mudo, dentro do armário e do baú de calçados, penduradas no espelho centenário, na revisteira e na pequena estante de livros na qual há tempos repousavam, indormidas, algumas novelas amorosas, um dicionário escolar, um atlas desatualizado e uma bíblia gasta mais pelo tempo do que pelo uso. Honorato Alegria achava bonito aquilo tudo: era tal a confusão de cores e a variedade das peças que o quarto mais pareceria o depósito de uma malharia movimentada, se por ele circulassem outras pessoas.

Braços estendidos no ar e observando as mãos preênseis da esposa, que pareciam esgrimir uma contra a outra como se houvessem nascido fazendo isso, o fantasma do ex-prefeito escutava apenas os ruídos que circundavam o quarto, deixando de lado os rumores alegres do circo e que eram perfeitamente audíveis aos seus ouvidos mortos. O coaxar antigo e grave dos sapos, a cantilena noturna e tranquila dos grilos, o zumbido dos mosquitos trazidos pelo rio, o tique-taque do relógio da sala que funcionava há anos sem que ninguém lhe desse corda e cujas badaladas secas interrompiam as noites nas horas exatas, e a cantarola agerata da mulher, que repetia sem saber as músicas que talvez lhe houvessem cantado na infância.

"Quem não sabe cantar não deve cantar", brincou o fantasma.

"Quem não sabe escutar deve cantar mais alto", respondeu Natélia, sem sorriso, enquanto o gato apenas abria uns olhos que nem chegavam a abrir-se.

"Está bem, está bem", a morte havia dado a Honorato certa ciência e ele sabia que as provocações nas respostas da mulher não eram mais do que pequenos carinhos sem jeito.

Depois, permaneceram em silêncio por outros minutos, escutando o ronronar confortável do gato e as batidas quase imperceptíveis do roçar das agulhas. Natélia às vezes suspirava sem perceber, apenas para expulsar aquela angústia que existe sempre nos corpos velhos, enquanto o marido, a cada tempo, ajeitava o corpanzil mal acomodado no canto da cama, como a querer levantar-se e desaparecer, mas sem ir além de uma ou outra reclamação.

"Me doem as costas", comentou ele.

"Coisa de velho", respondeu a mulher; dessa vez, ela sorrira.

"Pior: coisa de morto".

E era: de tempos em tempos, parecia que o enorme corpo de Honorato Alegria se encolhia, formando uma corcunda inimaginável em seus tempos de vivo e que só era suportável justamente por ser ele um fantasma. Quem o observasse mais de perto também perceberia que suas manoplas tremiam enquanto sustinham o desenrolar do novelo, tremor que ele buscava esconder firmando os braços contra o tronco, mas ao qual Natélia, entretida que estava com seus xales e blusões, não prestava a menor atenção.

À meia-noite, junto com as badaladas cavas do relógio, escutaram ambos o rangido fino do portão e, depois, o ruído antigo e duro da porta de entrada. Os passos dos três — Teodoro, Madalena e Alba Rosa — entraram em silêncio na casa, como se não quisessem acordar os vivos e os fantasmas, e rumaram sem pressa para suas rotinas de chegada. O prefeito foi à cozinha beber um copo de água gelada e vasculhar o que haveria de interessante na geladeira, enquanto sua mulher foi dar boa noite às plantas e preparar o banho que sempre tomava antes de dormir. Os passos de Alba Rosa foram direto ao quarto, como sempre, mas havia neles uma urgência nova e que atentou os ouvidos experientes dos avós. O ex-prefeito olhou para a esposa e apenas apontou os passos duros da neta, como se ambos soubessem; ela então adivinhou o que ele diria e resolveu perguntar antes:

"Então é hoje que Alba Rosa vai embora?".

"É", respondeu ele.

"E de onde vem essa certeza?".

"Para alguma coisa a morte tem que servir. E destinos não foram feitos para serem esquecidos", comentou Honorato Alegria, como se a resposta respondesse a tudo.

"Destinos", repetiu Natélia, que passara a vida inteira sem entender a força dessa palavra. Apurou o ouvido e sabia que, no quarto contíguo, os barulhos que ouvia eram os da neta arrumando a mala para partir. "E agora, o que é que se faz?".

"Nada", respondeu o marido. "Se eu fosse vivo, talvez a prendesse no quarto por uns dias, semanas. E isso a prenderia por aqueles dias ou semanas. Não mais. Não adiantaria nada. E agora, além disso, não há o que eu possa fazer", e atravessou o corpo vazio com dois braços dançantes, como se tivesse que provar a inutilidade.

"Nada a fazer para segurar a nossa neta então?".

A nossa neta, pensou Honorato Alegria — nunca havia pensado assim naquela menina que às vezes parecia não estar no mundo.

"Nada", respondeu, sacudindo no ar as mãos de vento.

Natélia sabia disso, mas seu coração de avó achou que deveria chorar um pouco. Chorou sem ruído ante os olhos estéreis do marido, pranto seco e entrecortado de velha só, como se as lágrimas não tivessem forças para sair e não bastassem para nada além de umedecer-lhe as faces gastas. Depois suspirou e, sem dar-se conta de que o marido ainda continuava ali, ficou a olhar no espelho o próprio reflexo desvalido, as mãos esquecidas do tricô acariciando o gato que seguia dormindo sobre o seu colo magro, enquanto ainda escutava, até que terminassem, os improvisados trabalhos de fuga da neta.

Então levantou-se, oito décadas de peso redobradas nas pernas miúdas, e foi escolher um blusão bem quente para que Alba Rosa o levasse.

11

Alba Rosa não pensou, porque não precisava. Apenas buscou na parte superior do armário a valise cor-de-rosa que ganhara quando fizera treze anos e que guardava, sonhadora, para a viagem em que conquistaria Hollywood. Abriu-a sobre a cama e, enquanto escutava os barulhos do pai na cozinha, a mãe dando boa noite às plantas que moravam na sala e a avó cochichando com o avô como se ninguém na casa soubesse que ele estava ali, começou a guardar nela apenas o que achava essencial. Nem sabia a razão, mas enxergara nos olhos cor-de-violeta de Rômulo Echegaray uma vida que lhe traria tantas novidades cotidianas que as coisas que tinha guardado até agora seriam de pouca utilidade. Fechou os olhos para escolher melhor e começou a guardar na maletinha os pertences verdadeiramente importantes: algumas peças de roupa, três pares de sapato, o urso de pelúcia com quem compartia o sono desde que tinha cinco anos, o escapulário que a mãe lhe dera na primeira comunhão, um desenho à caneta que fizera dela mesma e na qual se enxergara muito mais bonita do que era, cinco revistas sobre cinema, o livro em que guardava as pétalas mortas de uma rosa antiga, a fotografia em que o pai e a mãe aparecem sorrindo para a câmara como se estivessem em tempos diferentes, a caixinha de música em que um casal de bailarinos dançava há décadas o mesmo allegro de Vivaldi, o ingresso rasgado ao meio para a sessão do circo daquela noite. Quando terminou, sobrava ainda espaço na mala; nessa hora, escutou três batidas tímidas na porta, que pareciam não querer ser ouvidas. Abriu e era a avó, olhos tão secos quanto vermelhos, estendendo-lhe o blusão quente e que cabia, como se ali tivesse sido tecido, no lugar que sobrara na valise.

"Obrigada, vó", disse ela.

Natélia não falou nada, porque não sabia o que dizer. Apenas abraçou a neta com uma força que sequer conhecia, e nesse abraço pareceu que suas mãos descarnadas tocassem asas recém-nascidas e contra cujas batidas ainda indescobertas nada havia a fazer. Alba Rosa olhou a avó e achou que era a última vez, mas surpreendeu-se de que isso pouco importasse; tinha a certeza de que seu destino era com o gigante moreno que havia visto naquela noite e com quem ainda não trocara mais do que um olhar, e que isso não se cumpriria sem os sacrifícios que já começavam nessa hora de despedidas. A avó fechou a porta com a mesma delicadeza com que antes havia batido e andou num silêncio cansado por toda a casa, de repente ainda mais envelhecida, olhando quadros e enfeites como se houvesse perdido o caminho, apagando luzes que passavam a noite acesas, até entrar em seu quarto e recomeçar com o marido morto um choro que sabia inútil.

Alba Rosa não quis ouvir esse choro para não correr riscos. Quando a avó deixou seu quarto, havia disposto o blusão no espaço sobrante com cuidados de neta amorosa, mas esquecera do sofrimento tão logo fechara a valise. Pensava na vida que já sabia que seria a sua, nos lugares a descobrir, nos mistérios de outras falas e peles, nas belezas dos caminhos não percorridos. Mas, mais do que tudo, pensava em Rômulo.

Não lhe ocorreu, em nenhum momento, que ele pudesse não querê-la. Soube disso no momento em que haviam se visto no circo, porque teve a certeza que o olhar do malabarista tremera como nunca antes, tremor que nenhuma outra mulher tinha conseguido. Nem a cigana cujos olhos tristes e morenos lançavam a Alba Rosa, também naquele instante, uma mirada de resignada derrota. Tanto estava certa que ousou sem mesmo pensar, e seus lábios iniciantes atiraram ao ar um beijo como se fossem guiados por uma sabedoria recém-descoberta, ainda que o fizessem pela primeira vez. Ela sabia: Rômulo havia sentido aquele beijo como se estivessem colados um ao outro, e agora a esperava para a vida, para que os próximos não precisassem percorrer maiores caminhos que os de seus próprios corpos. Por isso, ela arrumava as malas sem qualquer dúvida.

O relógio da sala bateu quatro horas da manhã e Alba Rosa abriu a janela apenas para certificar-se de que ainda estava escuro. Buscou num suspiro o ar renovo da madrugada e olhou as luzes pobres da cidade de seu pai, postes amarelos que mal serviam para iluminar os insetos que voejavam, suicidas, ao redor das lâmpadas. Não parecia haver qualquer casa acordada e os barulhos que agora escutava eram os estampidos intranquilos que, de repente, começara a disparar o seu coração. Decidiu que partiria quando as luzes da manhã estivessem se anunciando, quando o céu atirasse a Galateia os seus primeiros alvores, e essa decisão teve o poder de arrefecer as pulsadas que, por instantes, lhe intumesciam a garganta. Fechou a janela com cuidado e silêncio, tendo a delicadeza de fingir que não percebia o avô sentado sozinho e eterno no banco do pátio e encarando a neta com o olhar abandonado que só os mortos têm, e então resolveu esperar.

Quando, às cinco e quinze, percebeu que as paredes já se avermelhavam com os primeiros raios de sol, pegou a maleta e pulou a janela, para que seus pais não a ouvissem e para que não corresse o risco de não saber o que pensar quando passasse pela casa uma última vez. Atravessou o pátio, ganhou a rua, e foram os moradores das madrugadas, aqueles raros que venciam as insônias em caminhadas ou em caminhadas eram vencidos por elas, que a viram atravessar a avenida, andar umas poucas quadras ainda mortas e chegar ao terreno onde dormia o Holywood para dizer ao primeiro que acordasse que decidira ficar com o circo.

12

Teodoro Alegria disse "merda" apenas por dizer, mais exclamação do que xingamento, quando a empregada serviu na mesa as travessas de comida com que mitigaria a fome que o acompanhava e que, duas horas depois do almoço, já estaria novamente de pé, rugindo. A esposa, na cadeira ao lado, olhou-o como se sorrisse, entendendo aquilo como quase um elogio à comida que o marido, nem bem pousada a terrina na mesa, já tratava de provar. Esperou Teodoro servir-se em colheradas grossas e sem apuro; depois, serviu-se também, apenas o suficiente para dizer a si mesma que almoçara, e os outros pratos ficaram esperando pelas ausências da mesa. O prefeito não perguntou nada, porque todos aqueles anos de estranheza já o haviam acostumado; apenas estendeu aos lugares vazios da mesa um olhar de interrogação.

"As duas nos seus quartos", respondeu Madalena.

Teodoro não prestou atenção à resposta da mulher, um pouco porque era a mesma desde sempre, outro tanto porque ainda o incomodavam as palavras e o cheiro de

Rosaura. A cigana havia invadido sua manhã como se estivesse na prefeitura. Ele apenas assinara uns papéis sem ler: um ofício ao governador, dois agradecimentos, um decreto municipal, o resultado do processo administrativo em que conseguia despedir um funcionário do qual nunca gostara. Quando terminou, disse à secretária que ordenasse ao dono do circo que estivesse na prefeitura à tarde. Então, ficara sentado em sua poltrona de poder, esperando o fim da manhã e olhando para a janela, enquanto pensava nos mistérios de Rosaura.

E agora, quando a esposa comia num silêncio despreocupado ou dizia algumas frases que serviam apenas para preencher o almoço, Teodoro Alegria seguia pensando na cigana e na impossibilidade de qualquer perda. Serviu-se de carne e arroz ainda outra vez, sem perceber que o fazia, e sentiu um formigamento incômodo na perna manca, espécie de pressentimento sem motivo, que às vezes lhe chegava nos dias de muito calor ou que antecediam a chuva. Mas nem um, nem outro: o dia seguia calmo em sua temperatura média, e o céu sem nuvens deixava clara a certeza de tempos secos. O formigamento era por nada.

"Alba Rosa não está no quarto", comentou a empregada, enquanto recolhia os pratos.

Madalena Alegria preocupou-se sem demasias. Mas Teodoro alertou-se: aquela cigana e este formigamento, agora Alba Rosa que não estava.

"E onde ela está?", questionou ele numa voz em que havia trovoadas, como se o volume da pergunta tivesse o poder de conseguir a resposta desejada.

"Não sei, prefeito. E a janela do quarto estava aberta".

"Merda", gritou Teodoro Alegria, enchendo a casa daquela impaciência bruta que tanto espantava as empregadas e fazendo com que a esposa desse ao assunto a atenção que merecia. "Madalena, onde está ela?".

Apenas porque considerava preciso rebater o súbito nervosismo do marido, ela respondeu que achava que a filha havia ido à casa de uma colega para fazer um trabalho da escola.

"Chama Alba Rosa então. Para confirmar que ela está lá", ordenou Teodoro à empregada.

"Não precisa", Madalena deu a contraordem. "Alba Rosa está fazendo um trabalho da escola na casa de uma colega".

"Que colega?", quis saber o prefeito.

"A Margô. Filha do Hernandes da farmácia".

"Aquele bocó", resmungou Teodoro Alegria.

"Que seja. Alba Rosa então está na casa do bocó", encerrou Madalena, quase acreditando no que dizia.

O prefeito riu e deu-se por satisfeito. Tranquilo por nada, bateu na mesa como se Alba Rosa recém houvesse voltado ao quarto e gritou que lhe trouxessem uma xícara de café.

"Já está vindo. Como sempre", respondeu Madalena.

"Eu sei", rugiu ele, naquilo que era a sua risada. "Mas alguém precisa assustar as empregadas de vez em quando".

Tomou o café num silêncio incomodado e deixou a xícara pela metade.

"Muito doce", reclamou ele, apenas para dizer algo.

"Se colocasse açúcar no próprio café, não teria do que reclamar", respondeu a mulher, enquanto Teodoro Alegria já vestia o casaco que atirara sobre a cadeira quando chegara para o almoço.

"Vou tomar um café no Central".

"A porta da frente é serventia da casa", comentou Madalena, ao tempo em que terminava a sua xícara. Depois, enquanto pensava — sem dizer — que o seu café estava bom, levantou-se e levou a bandeja à cozinha, onde a empregada já terminava de lavar a louça do almoço.

Teodoro Alegria entrou no Café Central esparramando o seu peso incomodado no balcão, sentindo o formigamento na perna mais forte do que nunca. Ao lado do baleiro em que ficavam os doces e onde o dono do boteco também guardava as contas a pagar, havia um panfleto do circo, folheto sorridente e colorido e que pouco se assemelhava ao espetáculo de uniformes gastos a que Galateia havia assistido na noite passada. Na parede ao fundo, pendurados num fio de arame que talvez estivesse ali há décadas, os bilhetes de loteria prometiam a sorte grande. Havia quatro ou cinco mesas ocupadas e o zumbido de um rádio mal sintonizado atrapalhava sem perceber as conversas comuns. Frente à janela, pronto para olhar o movimento inexistente, o doutor Manoel lia o semanário da cidade sem maiores atenções, enquanto seu café com leite terminava de esfriar. O dono do estabelecimento passava um pano embebido em álcool sobre as mesas vazias e parou para atender Teodoro Alegria.

"Um café, prefeito?", e largou o pano sobre o balcão.

"Não. Hoje eu vou querer um chá com torradas e

geleia de pistache", e a Teodoro pareceu que havia certo constrangimento nas risadas das mesas próximas; aqueles que normalmente não ririam, agora fingiam não percebê-lo. Menos o doutor Manoel, que interrompeu a leitura para encarar o prefeito com olhos em que se misturavam condolência e desafio.

"Vou ficar lhe devendo a geleia de pistache", respondeu o dono do Central, tentando um pequeno sorriso. "Aliás, nem sei o que é pistache".

"Então, me traz essa merda de café que tem aí", ordenou Teodoro Alegria.

"Isso temos sempre", comentou o dono do café, enquanto servia o prefeito. Teodoro sorveu o primeiro gole e não pôde deixar de pensar que o de casa estava melhor. Depois, nada mais. Havia no ar do Central certo peso triste e solene, de algo que já havia acontecido e para o qual não existia remédio, incômodo recheado de cochichos desejosos de falar, de olhares que perguntavam se deveriam perguntar. Ainda que aquele desconforto todo tentasse observá-lo sempre que baixava os olhos e a dormência na perna agora se configurasse cada vez mais como prenúncio de algo inexplicado, o prefeito decidiu não se importar com aquilo; os problemas da cidade já lhe eram suficientes para ter que preocupar-se com os ares do café. Olhou ainda outra vez a propaganda do circo, tentando encontrar alguma relação entre a alegria estampada e a seriedade do momento, mas tudo o que conseguiu perceber era que nada ali combinava com nada. Terminaria o café e pronto — na prefeitura, talvez houvesse outro melhor. Levantou-se e deixou no balcão as moedas suficientes, sem vontade de qualquer piada, nem de xingar por hábito a beberagem fraca que lhe haviam servido. Quando se virou, os olhos do doutor Manoel o enfrentavam, já esquecidos do jornal.

"E então, prefeito? É verdade mesmo que sua filha vai virar artista de circo?", e não havia na pergunta qualquer desafio, mas apenas a curiosidade verdadeira de alguém que também era pai e que, naquela hora, percebeu Teodoro Alegria, provavelmente trazia em sua voz todas as vozes da cidade. E tudo clareou-se ao prefeito: o aviso da cigana, a perda anunciada, a dor até há pouco inexplicável e que agora parecia furar sua perna com a agudeza de mil agulhas más. Alba Rosa estava no circo e toda a cidade sabia disso. Mais: toda a cidade soubera antes dele.

"As pessoas são livres para fazer o que quiserem. Não é o que o senhor sempre defendeu?", conseguiu responder Teodoro Alegria, percebendo que qualquer pergunta a mais o desmontaria para sempre dessa autoridade que já durava a vida inteira e da qual não tinha a menor vontade de se separar. "E vocês me deem licença agora, que estou muito ocupado na prefeitura". E saiu, sem dar chance a que dissessem algo mais, odiando para sempre o olhar solidário de todos.

"Uma moedinha para um pão com manteiga, prefeito?", era o mendigo, sentado na calçada quase à porta do café.

"Vai à merda, Jeremias", respondeu Teodoro Alegria.

13

Rômulo acordou com Alba Rosa ao seu lado. A menina havia permanecido por mais de uma hora velando o sono do equilibrista no carroção que ele dividia desde sempre com o irmão mais forte, que saíra para praticar tão logo percebera o que estava por acontecer. O trailer não era mais do que um cubículo onde os irmãos dormiam e guardavam os poucos pertences que haviam juntado em suas pobrezas de artistas de circo, e sobre os quais os olhos de Alba Rosa teriam tempo para passear com sobras se ela conseguisse prestar atenção em outra coisa que não o sono de Rômulo Echegaray. Ela apenas sentou-se no pequeno espaço que havia ao redor da cama, sem sequer lembrar-se de que precisava mover-se às vezes, nem pensar no que dizer à hora em que ele acordasse — um pouco porque quem decidiu seguir seu amor no circo não tinha maiores compromissos com a lógica, outro tanto por acreditar que, de alguma maneira, ambos saberiam.

Mas não foi o que aconteceu. A verdade é que o trapezista deu um salto assustado na cama ao perceber aquela figura miúda e resoluta guardando o seu sono recém-acabado, batendo com a mão direita na parede do carroção e pondo em risco a necessária presteza de movimentos para a apresentação de logo mais à noite. "Merda", gritou ele — e aquele xingamento tão familiar pareceu ser, a Alba Rosa, a senha que faltava para sentir-se inteiramente em casa. Pegou a mão do trapezista e massageou-a com delicada incompetência, enquanto lembrava de perguntar a ele como se pronunciava o seu sobrenome.

"Echegaray", respondeu ele, exagerando em sotaques. "Como se existisse um *t* antes do *c*". E depois, porque afinal era preciso perguntar: "E o seu nome?".

"Alba Rosa", disse ela, como se Rômulo já soubesse a resposta e a pergunta fosse apenas uma impertinência. "Nos conhecemos ontem à noite. E agora estou aqui para ficar contigo".

Ambos permaneceram uns poucos segundos em silêncio, como se pensassem nos próximos movimentos, e então Alba Rosa inclinou-se para beijar aquele que deveria ser o homem de sua vida — esta vida que lhe aconteceria entre as luzes dos picadeiros, sacolejos das viagens e os acanhamentos dos carroções. Rômulo Echegaray assustou-se um pouco, mas Alba Rosa ainda teve o tempo certo de alertá-lo para que não batesse novamente com a mão na parede antes de beijá-lo com tanta intensidade, sem sequer perceber o hálito ainda dormido, que a ninguém pareceria que aquela era a primeira vez que fazia aquilo.

O trapezista soube desde logo que não receberia aquele beijo com a tranquilidade dos milhares que já lhe haviam enchido de sabor e fogo tantos de seus dias e noites, e sobre os quais seus olhos violáceos sempre haviam conseguido um delicado controle. O beijo de Alba Rosa era diferente porque, ainda que Rômulo conseguisse perceber que era o primeiro em que se jogavam sem ensaios aqueles lábios de menina, era como se não fosse; o beijo que agora dava tinha um jeito tão único que o trapezista teve a desnecessária certeza de que só poderia estar sendo dado pela mulher da sua vida. Então acolheu a ousadia juvenil com os mesmos ardores novos que aquela língua parecia conhecer, sem segredos, desde o nascimento. Ele puxou Alba Rosa para si, sem maior força porque estava certo de que ela já esperava por isso, e o corpo sereno da garota aconchegou-se ao peito do homem, prontos ambos a serem descobertos. Na estreiteza pobre da cama, ele pôde sentir aquele coração feminino batendo aos trancos sob os seus dedos, um bater tão descompassado quanto decidido, e adivinhou desde logo que ela seria muito além de todas as que haviam inaugurado com ele as alegrias do corpo, e que esses tempos haviam acabado. Quando o pulsar acomodou-se e eles conseguiram escutar o rumor combinado de seus sangues, Rômulo e Alba Rosa souberam ao mesmo tempo que era a hora, e naquele instante certa luz púrpura começou a tomar conta do carroção.

14

Teodoro Alegria entrou na prefeitura sem cumprimentar ninguém. Sentou-se na cadeira com o peso redobrado de um corpo em que começava a velhice ainda sem perceber, e a perna manca pareceu doer-lhe como há décadas, na hora exata em que recebera a patada seca do cavalo. Esfregou-a com força, como se a quentura das mãos tivesse mesmo o poder de aliviar as tantas fisgadas que, desde o café, lhe infernizavam os passos. Fechou os olhos e tentou pensar em algo bom no meio de todo aquele tormento em que há minutos estava trancada a sua vida, mas só o que conseguiu lembrar foi do corpo belo e centenário da cigana prevendo para breve a sua derrota. Rosaura, refletiu Teodoro Alegria, sentindo certo estremecimento que suas curtas luzes não conseguiam bem explicar, mas que logo evanesceu-se na hora em que lembrou, como não parava mais de fazer desde que recebera a notícia, de Alba Rosa dormindo naqueles carroções encardidos de fim de festa. Precisava saber bem o que fazer — e como fazer. Nem tão apequenado a ponto de pensarem que estava derrotado por tão pouco, nem tão espetaculoso que acreditassem que emprestava ao fato uma importância maior do que verdadeiramente possuía.

Gritou à secretária e ordenou-lhe que chamasse o dono do circo para uma conversa séria na prefeitura. Muito séria.

"E agora!", adendou ele, imperativo.

A secretária alertou-o que a reunião com o dono do circo estava agendada para as quatro. Também quis lembrá-lo de que o aguardavam ali alguns representantes da colônia de pescadores para tratarem da construção da escola, mas o prefeito não estava para assuntos de pouca importância.

"A escola que vá à merda. E os pescadores também! Quero o dono do circo aqui e agora!".

A seguir, fechou os olhos, guardado em raivas novas e com as quais pouco sabia lidar, mas tendo apenas a certeza de que não poderia, como de costume, resolver toda a situação a trompaços. Era a filha quem estava do outro lado da arena, e não numa de suas inúmeras pirraças infantis de atriz de cinema ou em sua mudez inconsequente, que se acabava tão tranquilamente como antes havia começado. Não: Alba Rosa havia tomado uma decisão que, em sua certeza adolescente, era para toda a vida, e a decisão significava ir embora sem sequer se despedir, ganhar o mundo e esquecer que os pais existiam. Teodoro, o forte, o grande, sentia-se traído: nem um adeus da filha os seus anos de desvelo haviam merecido. Alba Rosa se jogara à primeira aventura que lhe aparecia à frente, sem pensar em nada mais do que suas vontades indecisas, e pai e mãe (onde a mãe?, agora, perguntou-se o prefeito) pareciam evaporar-se nessa incerteza.

"Minha filha, por que isso?", gemeu o pai, perdido por não saber aonde endereçar sua ira, essa ira que certamente lhe aumentava as dores na perna doente e, sem que ele ainda percebesse, lhe fazia formigar as batidas de um coração que, em alguns anos, o levaria a não dar cinco passos sem arfar e a ter que descansar pela metade na subida de um lance pequeno de escadas.

Teodoro Alegria ainda sentia o desconforto do próprio corpo pesando sobre a poltrona e olhava sem pensar a papelada inútil da mesa, quando a secretária bateu timidamente à porta e depois entrou, os passos incolores de quem parecia não estar ali.

"O dono do circo já chegou", anunciou a mulher.

"Deixa que ele espere um pouco", ordenou o prefeito, querendo assim estabelecer regras para o jogo. "Manda entrar daqui a cinco minutos".

Mas a ânsia de Teodoro Alegria não conseguiu suster a espera que ele mesmo havia imposto e, no minuto seguinte, já estava à porta de seu gabinete, rugindo como se nada houvesse acontecido nessa manhã e ordenando ao dono do circo que entrasse logo. Antes de bater a porta, percebeu que a comitiva de pescadores estava por ali, esperando talvez por uma reunião que não aconteceria, e fez um sinal à secretária para perguntar por que aquele pessoal ainda não havia ido embora.

"Estão só tomando um café, prefeito", contestou a mulher, algo constrangida.

"Bom proveito então. Mas o café daqui da prefeitura é uma merda!".

Um dos pescadores teve o tino de comentar, sorridente:

"O café está bom, prefeito. Mas seria melhor se fosse com a escola...".

"Não se pode ter tudo na vida", respondeu Teodoro Alegria, enquanto já entrava em seu gabinete.

O dono do circo parecia ainda menor e mais esverdeado enquanto aguardava o convite para sentar-se, parado como um abajur de segunda mão ao lado das vetustas poltronas de couro marrom que, há décadas, enfeavam aquela sala sem que ninguém reparasse. Mas o convite não veio: em vez disso, o prefeito postou-se bem à frente do outro, enorme e pesado, esfregando as mãos num gesto que podia preceder fúrias, desafiando o pequeno já a partir de suas próprias estaturas, mas que na verdade não era mais do que uma forma de dar-se tempo para descobrir o que fazer.

"Minha filha está lá no circo", disse ele.

O homenzinho pareceu não se surpreender com aquela frase tão direta e que era, por si, uma exigência de resposta, mas achou que deveria fingir algum espanto.

"Como assim?", perguntou ele, à falta de algo melhor para dizer.

O prefeito colocou a mão sobre o ombro do homem, o que poderia parecer afetuoso se não fosse tão claramente uma ameaça, e achou que deveriam ser cortados para fora dessa discussão todos os seus preâmbulos.

"Meu amigo", disse ele. "Se esta conversa fosse simplesmente entre o prefeito da cidade e o dono de um cirquinho vagabundo, já poderia ser um inferno. Mas não é. É a conversa de um pai furioso com o dono desse cirquinho. E este pai furioso também é o prefeito e manda na cidade em que o tal cirquinho acabou de instalar suas tralhas. Por isso, esta conversa deve ser duplamente direta".

"Tanto quanto pode ser", respondeu o dono do circo, e Teodoro Alegria teve outra vez a certeza de que estava à frente de um adversário de respeito.

"Tanto quanto ela deve ser", corrigiu o prefeito. E depois, atalhando tempos: "Quero minha filha em casa ainda hoje", olhou o relógio na parede. "São duas da tarde. O prazo se encerra às sete da noite".

O pequeno não pareceu se intimidar com aquela ordem. Sentou-se na poltrona, sem pedir ou esperar licença, como a dizer que com ele os gritos não teriam o mesmo volume com que o prefeito negava escolas a pescadores, e esperou um tempo antes de encontrar a polidez da melhor resposta.

"Prefeito, assuntos do coração não são assim tão simples de resolver".

"Que assuntos do coração?", surpreendeu-se Teodoro.

"Sua filha está apaixonada pelo meu trapezista. E o meu trapezista está apaixonado por sua filha".

"Merda! Minha filha é uma criança!", vociferou o prefeito.

"Crianças não se apaixonam por trapezistas de circo".

A verdade é que Teodoro Alegria não sabia com clareza o que pensar, porque tudo era ainda mais nebuloso do que as pequenas bobagens que certamente estariam comentando nos cafés e nos bares, nada mais importante a aqueles inúteis do que ficar inventando verdades para acontecerem com as vidas dos outros. Alba Rosa não saíra de casa movida somente pelos sonhos infantes de cinema internacional, dos quais se livraria ao primeiro solavanco dos carroções numa estradinha perdida, mas pela insensatez categórica de uma força que o prefeito nunca conseguira entender: o amor. E isso tornava a guerra mais perigosa, exigindo o manejo de armas sutis, às quais a bruteza de Teodoro Alegria estava pouco acostumada. Soubesse a cidade de toda a história, jogando com a maldade provável esse conhecimento, e o poder sem datas do prefeito existiria apenas em sua metade.

"Se o senhor me pedisse qualquer outra coisa, prefeito, eu cumpriria agora. Mas o senhor me pede justamente o que não está ao meu alcance".

"O senhor é o dono do circo!".

"Mas não sou dono dos corações do circo".

"Com corações ou sem corações, quero minha filha de volta para casa! E sem alardes, senão amanhã o circo tem que sair da minha cidade. Mando vocês embora a tiro!".

"Prefeito, o senhor pode entender muito de poder, mas entende pouco da natureza humana. Nenhum decreto ou revólver consegue apagar esse brilho novo dos olhos de sua filha".

Era certo que Teodoro Alegria entendesse pouco de natureza humana, mas entendia de poder o suficiente para saber que o tempo não era para ameaças diretas. Precisava da filha em casa sem alardes.

"Minha filha em casa hoje, e o circo indo embora amanhã. Isto é o que vai ser feito".

"E o prejuízo do meu circo, que recém chegou?".

"O circo de vocês que vá à merda!", esbravejou o prefeito.

"Mas o prejuízo vai ser seu também!", lembrou o homenzinho e, depois, adendou: "Eu inclusive já lhe trouxe a primeira percentagem. Achei que era para isso que o senhor havia me chamado", mentiu ele, enquanto tirava do bolso um maço considerável de notas presas por um elástico e o dispunha caprichosamente sobre a mesa. O prefeito olhou para aquele dinheiro por algum tempo, instantânea alegria cobiçosa, depois agarrou-o com violência e assim colocou-o no bolso das calças, como a dizer que esse não era o assunto.

"Conte o dinheiro, prefeito. Conte para saber que o senhor está fazendo um bom negócio", pediu o dono do circo.

"Aqui nesta cidade eu não preciso contar umas merrecas para saber se estou fazendo um bom negócio ou não. E o assunto agora é outro. Minha filha em casa ainda hoje e estamos conversados", passou a mão sobre o bolo de dinheiro que se avolumava no bolso e teve o tempo de sorrir. "E depois conversamos para ver se o cirquinho ainda pode ficar mais uns dias".

O outro permaneceu num silêncio que poderia parecer respeitoso, mas que não era mais do que o cálculo do prejuízo e do tempo que levaria para desmontar em pressas toda a tralharama do circo. Conhecia seus artistas, conhecia essas histórias — tantas, em tantos anos de caminhos esquecidos — e sabia que a filha do prefeito nem escorraçada voltaria para casa.

"O coração, prefeito, o coração apaixonado da juventude...", limitou-se a dizer.

"Não quero saber do coração apaixonado da juventude. Isso não é problema meu. Hoje à noite vou olhar no quarto da minha filha. Se ela não estiver lá, o circo que aguente as consequências!".

"Vou fazer o possível".

"Faça mais do que o possível", encerrou o prefeito. Depois, bateu as mãos como a dizer que a conversa estava terminada.

"Então, estamos entendidos. Agora, cada um ao seu trabalho, porque temos muita coisa a fazer. Eu vou atender uma comitiva da colônia de pescadores para tratar dos detalhes da escola que eles estão pedindo. Já está quase pronta, a tal da escola. Trabalho e trabalho, o tempo todo". Depois, como se fosse necessário o desabafo: "Não é fácil ser prefeito...".

O homenzinho levantou-se da poltrona em que seu peso sequer deixara marcas e estendeu a mão a Teodoro Alegria. Cumprimentaram-se sem dizer nada. Então, o dono do circo saiu do gabinete, saudou educadamente a secretária do prefeito e ganhou a rua, passando pelos pescadores que, comentando sua viagem perdida, ainda conversavam na praça em frente à prefeitura.

15

Rosaura sabia que não teria mais para si o olhar violáceo de Rômulo Echegaray. Sentada nas arquibancadas vazias de madeira, enquanto olhava para aquelas lonas e cordas que, no início da noite, deveriam encher-se de bulício e risadas, ela escutava o silêncio triste que emanava dessa nova solidão em que a jogara a chegada de Alba Rosa. Era algo estranho, incomum, porque, naquela hora, seria usual que o movimento já acontecesse, com os artistas e funcionários revisando cordas, reparando o madeirame das arquibancadas ou renovando a serragem do picadeiro. Mas, ao mesmo tempo, era explicável — o silêncio que às vezes emerge das grandes expectativas e que poderia ser entendido pelas luzes arroxeadas que teimavam em escapar pelas frestas do carroção do trapezista.

Essa mocinha chegou para ficar, pensava Rosaura. Mas não fazia mal, de algum modo era o tempo certo de que Rômulo se aquietasse e que parasse de deixar espalhados pelas estradas tantos corações mal feridos. E quanto a ela, também — os anos de sua vida já a haviam acostumado às solidões e logo apareceriam outros a enfeitiçar com seu cheiro de sândalo. Tantas estradas, línguas, caminhos, tantos homens em sua cama sem deixar nela nada mais do que um ardor momentâneo. Rômulo fora, por algum tempo, um paradouro mais estável, alguém a quem não pedir ou oferecer nada mais do que o bom possível. E que agora havia acabado. Mas a vida segue, pensava a cigana, por mais quinze ou trezentos anos.

Mas por que aquela lágrima teimando em cair?

O dono do circo tinha certeza de que o prefeito não estava brincando e que não havia nada a fazer. Conhecia tiraninhos metidos a grandes desde que herdara o circo, há dezenas de anos, e sempre soubera que não havia por que enfrentá-los em suas fúrias de opereta. O melhor era seguir em direção à próxima vila ou cidade, qualquer canto do mundo que melhor os recebesse.

Os anos de estrada o haviam ensinado a entender as brigas que valem a pena e as que não valem — e a verdade, nessa sua vida andarilha em que as coisas logo ficavam para trás, era que bem poucas valiam.

Ainda que a filha do prefeito voltasse para casa no próximo minuto, isso de nada adiantaria. A cizânia já estava formada, e justamente com a única pessoa com quem não se devia brigar nesse fundo perdido, o homem que mandava na cidade e, mais importante, no terreno em que haviam se instalado. Voltasse a menina para casa agora, nesse instante, e ainda assim o prefeito os mandaria embora amanhã, apenas para mostrar ao povo quem dava as ordens. Não voltasse, o homem os expulsaria ainda hoje. De qualquer modo, o Holywood precisava começar a arrumar suas malas e carroças.

E não discutiria com o seu trapezista, pensou o dono do circo. O prefeito ficaria para trás em um ou dois dias, Rômulo e Remo Echegaray seguiriam com o circo, como sempre haviam feito desde que se conheciam por gente, e não havia razão para se indispor com todo mundo. Os irmãos Echegaray, cujos nomes verdadeiros já se haviam perdido em suas carteiras de identidade, não apenas eram o mais próximo de filhos que ele poderia ter como também consistiam na mão de obra mais qualificada que já tivera, cujos lucros nenhum beneplácito de prefeito conseguiria suplantar. Rômulo e Remo sozinhos conseguiam montar e desmontar o circo; e, às noites, eram a atração mais festejada.

Não, não havia por que brigar com seu trapezista.

Iria, é claro, bater à porta do carroção de Rômulo, de onde não paravam de emanar aqueles raios de luz tão conhecidos quanto novos, apenas porque era necessário cumprir a formalidade do aviso de que a garota deveria estar em casa às sete, mas principalmente para lembrá-lo que estivesse pronto às oito, sem atrasos, porque naquela hora se iniciava a função.

Remo Echegaray ensaiara sozinho por toda a manhã, desde que expulsara a si mesmo do quarto com a chegada de Alba Rosa. Tantas vezes haviam feito isso um ao outro — Rômulo, mais —, sem pedidos ou explicações, sempre na certeza de que, passadas as horas, voltariam ambas as vidas aos seus lugares tranquilos, aos ensaios e aos trapézios. Mas hoje não, hoje era diferente. Talvez fosse o ar resoluto e decidido da garota que ainda há pouco saíra das fraldas, talvez o fato de que não tivesse imediatamente despertado Rômulo em sua chegada por saber desde sempre que teriam o tempo inteiro, talvez porque, passadas todas essas horas, ainda não se escutasse do carroção qualquer barulho de festa acabada — a verdade é que Remo percebia na visita o ar inefável das coisas definitivas.

E isso tinha, para Remo, a consequência imediata de descobrir, para aquele mesmo dia, um lugar para dormir. Após o espetáculo, pegaria no trailer algumas roupas e faria sua mudança provisória para a cama sobrante que existia no carroção do mágico Melvin, que se apresentava como descendente de mago Merlin para públicos que não tinham a menor ideia do que fosse a história da Távola Redonda. Os anões e Tico-Tico também lhe haviam oferecido pouso para a noite, mas dividir o quarto com dezenas de lenços coloridos e gaiolas de pombos e coelhos lhe parecera mais vantajoso do que dobrar-se pela metade nas caminhas dos pequeninos ou dormir com um olho aberto nos truques de tempo inteiro do palhaço. E amanhã ou depois, quando o circo já estivesse em seu caminho, então seria a hora de alojar-se em definitivo.

Remo pensava nisso quando percebeu o aroma de sândalo que precedia as chegadas de Rosaura; virou-se e a cigana já estava ao seu lado, o ar incomodado de quem sempre sabe mais do que precisa. Mas isso não lhe tirava o brilho zombeteiro que refulgia como marca no negror de seus olhos.

"E então?", perguntou ela.

"Estava ensaiando", ele respondeu.

"Não é isso", disse a cigana, apenas.

Ele esperou um pouco para responder — não sabia bem qual a resposta desejada por Rosaura e não queria incomodá-la com palavras que ela não quisesse ouvir.

"E então que estou sem quarto por uns tempos". Depois, porque de alguma forma todos no circo já sabiam o que aconteceria: "Acho que essa menina segue conosco".

Rosaura riu, e o trapezista nem percebeu o laivo de amargura que havia naquele riso breve.

"Vai ter que aprender a ser artista".

"Tudo se aprende", comentou Remo.

Ficaram ambos em silêncio durante segundos, como se ensaiassem um próximo assunto, e logo a cigana deu um breve toque no ombro de Remo Echegaray.

"Se quiser, pode ficar no meu quarto por uns tempos".

"Hoje à noite, fico com o Melvin", respondeu ele, agradecido.

"Coelhos e pombas não são melhores companhias do que ciganas", riu ela, enquanto começava a se afastar. E depois, parada embaixo de um raio de sol que atravessava os rasgos finos do teto de lona e refulgia um brilho vermelho e verde no vidro de suas joias falsas:

"O convite também vale para as próximas noites", e dessa vez riu alto.

Remo agradeceu e decidiu que, na noite seguinte, dormiria no quarto de Rosaura. Ambos haviam, de alguma forma, perdido espaço — pensou ele; talvez amanhã começassem a ganhar.

16

Eram pouco mais de seis e meia da tarde quando os frequentadores do Café Central viram passar por ali uma espécie de exército mal armado, com Teodoro Alegria à frente, engalanado num solene e belicoso uniforme que certamente havia sido usado por seu avô, numa das tantas quizílias de que fizera parte, enquanto percorria campos e fazendas na busca de inimigos ou saques, e que, depois, devia ter permanecido guardado por décadas em alguma caixa de papelão mal esquecida, apenas alimentando traças e memórias. O prefeito resgatara o uniforme e parecia haver acrescentado a ele, às pressas, alguns galões e dragonas mal cerzidas que concedessem a importância devida à guerra que estava prestes a encetar: a batalha da honra e da volta da filha.

Mais do que isso, era a batalha pela volta de seu poder verdadeiro.

Pouco depois do dono do circo haver saído de seu gabinete, Teodoro Alegria resolvera ir às ruas para senti-las, a fim de descobrir o quanto poderiam estar comentando às suas costas, e percebera, sem que ninguém lhe houvesse dito nada, que a fuga de Alba Rosa era o único assunto daquele dia em Galateia. A estreia do circo, tão presente ainda há pouco nas casas e nos mercados, na fila do banco e na cooperativa, nas praças e nos cafés, nas escolas e nas rinhas de galo, parecia ter se evanescido com aquela nova notícia a alimentar o imaginário de fofocas da cidadezinha. Na caminhada que deu, no breve café que tomou no Central, ninguém comentara nada, mas as palavras sobre o tempo ou assuntos mais ou menos inúteis e sempre descomprometidos eram a perigosa senha de que todos sabiam. E se não agisse logo e com força, seria em breve um prefeito ridicularizado, pronto a cair nas risadas do povo e ter derrubada, de uma vez só, toda a boa fama construída em décadas pelos Alegria. Era preciso uma atitude que clareasse a toda Galateia que seu prefeito ainda era quem mandava na cidade, e que seria assim pelo tempo que quisesse.

Era preciso invadir o circo.

Por isso, os atônitos moradores de Galateia, às seis e meia da tarde daquele dia, assistiam ao brancaleônico desfile do exército organizado em minutos pelo prefeito, armado de revólveres gastos pelo tempo, facões de lavoura, pedras e pedaços de pau que podiam ter sido trancas de galpões ou tacos de sinuca e que haviam sido recolhidos às pressas pelos recém-arregimentados soldados, sem que soubessem muito bem para que o faziam. Eram cinco ou seis policiais que dormitavam seus dias na pouco movimentada delegacia da cidade e que estavam muito mais acostumados a bebedeiras de sábado à noite do que a invasões de circo e que, enquanto seguiam seus rumos junto com os outros, sequer sabiam se deviam obedecer ao prefeito ou ao delegado, que acompanhava Teodoro Alegria dois passos atrás e com a mesma arrogância com que este andava. No caminho, no entanto, sem que houvessem combinado ou falado qualquer palavra entre si naquele desfile estranho, os policiais haviam resolvido que obedeceriam àquele que estava de uniforme e que, por esse óbvio motivo, se preparara para ser o chefe da operação. Além deles, o prefeito mandara vir todos os empregados de sua fazenda, do moinho de farinha e da casa de ferragem, inclusive duas mocinhas atendentes, conhecidas de Alba Rosa, que não sabiam o que poderiam fazer ali e que caminhavam morrendo de medo no meio daqueles brutamontes que gritavam e riam como se estivessem partindo para uma festa. Teodoro Alegria tomara o cuidado de deixar abertos apenas o armazém e a casa lotérica, porque o mês se iniciara há pouco e ainda corriam os dias de maior movimento, do pagamento dos caderninhos e das prestações. Mas chamara, em contrapartida, os pescadores da cooperativa, deixando claro a eles que a escola dependia muito da boa vontade que demonstrassem. Ao todo, seriam uns setenta homens, que marchavam felizes para um combate ao qual haviam sido convocados sem maiores explicações, mas que tinha a força benfeitora de tirá-los das modorras de seus dias. Haviam se ajustado naturalmente em seus batalhões e no caminho, quem estivesse de fora poderia ver a coluna dos policiais liderada pelo comissário Ernesto, os peões da fazenda e do moinho encabeçados pelos seus capatazes, e os empregados do comércio, inclusive as duas apavoradas meninas, chefiados pelo gerente da ferragem, um gordinho de cabelos engomados, que se dava ares de grande importância e andava sempre de paletó e gravata, mesmo nos dias de maior calor. Ainda que arfasse um pouco, o gordo marchava com pose de marechal de guerra, carregando uma faca de cozinha na cintura e empunhando um espeto que fora devolvido por qualquer defeito e até agora estava esquecido no depósito da ferraria.

Dezenas de homens armados são uma ameaça, mas também um espetáculo. Desde que haviam se reunido e saído da frente da loja de ferragens em direção ao circo, num percurso de pouco mais de quatro quarteirões e sempre pela rua principal, já um bando de curiosos a eles se reunira, desejosos de saber como poderia acabar toda aquela história. A meninada, em suas bicicletas gastas e calçõezinhos rotos de jogar bola, não só havia desobedecido aos gritos das mães para que entrassem logo em suas casas, como formara uma espécie de batalhão à parte, que caminhava em festa, logo ao lado do prefeito e do delegado, como se seguisse uma banda de música.

Quando chegaram à frente do circo, Teodoro Alegria postou-se, marcial, embaixo da sombra de uma das raras árvores que, de alguma forma, serviam para tornar um pouco menos feia a paisagem de casas lisas da avenida principal. Descansou um instante, o tempo necessário a sentir uma fisgada triste na perna manca, e levou à boca o megafone que pegara na prefeitura. Antes de gritar, deu-se conta de que não havia como chamar pelo dono do circo, uma vez que sequer sabia seu nome.

"Rendam-se! Vocês estão cercados!", foi o que enfim gritou, então, como num faroeste ou filme policial americano. O delegado, um pouco atrás, não conseguiu evitar uma risada, porque o fato é que ninguém havia cercado nada, e se o pessoal do circo quisesse escapar pelo lado contrário, todos os caminhos estavam abertos.

Mas não se via ou escutava nada vindo do Holywood, que permanecia num silêncio que se parecia mais a uma casa abandonada do que com um circo prestes a ser invadido.

"Entramos logo, prefeito?", o delegado perguntou, ansioso por ação.

"Não. Esperamos ainda um pouco", respondeu Teodoro Alegria, apenas para mostrar que estava no comando inteiro da operação, porque o fato é que estava doido de vontade de colocar logo abaixo aquela loninha chinfrim e terminar de uma vez com essa história em que, na verdade, não gostaria de estar metido. Alçou novamente o megafone à boca e deu a ordem que, sabia, ficaria na memória detratora da cidade por muito tempo.

"Alba Rosa, volta agora para casa!".

Ainda nessa segunda chamada, não se conseguiu perceber nenhum movimento vindo do circo. Teodoro Alegria esperou por uns momentos, num tempo cada vez mais cheio de ansiedade e no qual se podia perceber que tudo não seria tão fácil quanto, ainda há pouco, ele imaginara. Olhou para trás e o exército improvisado parecia haver-se impregnado da tensão de seu chefe; todos miravam o circo com recém-descobertos olhos de inimigo, na expectativa da grande invasão. Sem que eles próprios dessem conta, os soldados já estavam em posições de ataque, prontos para a batalha, empunhando as armas que aprenderiam a usar no instante mesmo em que as estivessem usando. Até os garotos haviam estacado as suas bicicletas voadoras e, ainda que não conseguissem entender a magnitude daquele momento, permaneciam na mesma expectativa dos demais, sérios e prontos para entrar novamente no circo que lhes dera entradas grátis e, ainda há pouco, era a maravilha momentânea de suas vidas. Teodoro Alegria encarou os comandados, que dividiam suas esperas entre os movimentos inexistentes do circo e as próximas palavras do prefeito, e teve a certeza de que qualquer ordem que desse seria cumprida. Então aproximou outra vez o megafone de sua voz de trovão e avisou, num volume que talvez pudesse ser escutado por toda a cidade.

"Alba Rosa, volta agora. Eu vou contar até dez. Até dez! Depois, meu exército vai invadir esta merda!".

E então o circo começou a se movimentar.

A entrada principal abriu-se vagarosamente, como se estivesse sendo dado início ao próximo espetáculo, e dela saiu, sozinho e paramentado, o dono do circo. Na mão esquerda, carregava o microfone com que, na noite anterior, apresentara todas as atrações. O homenzinho deu uns poucos passos, suficientes para ficar à vista de toda a tropa adversária, e nada disse. Apenas postou-se numa espécie de silêncio desafiador, braços cruzados, mas prontos para a luta e, de alguma forma, parecia maior do que realmente era. Por trás dele, um a um e como se participassem de um desfile ensaiado, foram saindo os artistas do Holywood, alguns indo para a esquerda e outros para a direita, de modo a deixar o seu próprio comandante no meio daquele pequeno exército circense que, mudo e aos poucos, ia se formando. Da mesma forma que seu líder, vestiam-se como se a sessão do circo fosse começar em minutos. Quando já estavam todos postados, numa linha equilibrada e que se confrontava com a inexatidão das tropas de Teodoro Alegria, não seriam mais do que trinta pessoas. Trinta pessoas decididas.

E entre eles não estava Rômulo Echegaray.

O dono do circo olhou à sua esquerda e à direita e, de modo quase imperceptível, ordenou aos mais próximos que se afastassem um pouco uns dos outros, a fim a alargar a linha. Em segundos, o pequeno exército do circo parecia haver dobrado de tamanho, e esse movimento teve o poder de impressionar as tropas amadoras de Teodoro Alegria. Na linha do circo, estavam também todos prontos para o ataque, com as armas que usavam em seus cotidianos ou com o que haviam conseguido arrebanhar para aquela parada de improvisos. O domador trazia na mão esquerda um picador de ferro pontudo com o qual costumava incomodar o preguiçoso leão que o acompanhava há quinze anos e, na direita, o chicote cujos estalos sempre impressionavam a plateia; os palhaços calçavam seus sapatões vermelhos prontos para os mais inusitados pontapés e apontavam para todos os lados as suas pistolas de água; o arremessador de facas empunhava cinco punhais em cada mão e trazia outros cinquenta pendurados na cintura; os malabaristas atiravam pinos de plástico colorido ao ar como se já ensaiassem os arremessos para os quais estavam sempre preparados; o mágico, sob cuja cartola se escondia a divisão de pombos brancos a serem usados na necessidade de um ataque aéreo, empunhava o serrote com que todas as noites dividia ao meio sua assistente de palco e o lenço vermelho com que pretendia fazer desaparecer os inimigos; os anões, armados de picanas e pedaços de madeira, estavam estrategicamente postados, a cada tanto, para distribuir pauladas nas canelas e joelhos adversários; o audaz atleta do globo da morte apanhara às pressas um cano de descargas que recém havia aposentado de sua motocicleta, e com ele estava pronto para distribuir bordoadas em quem aparecesse à sua frente; a mulher gorda trazia como arma o seu corpo imenso; o engolidor de fogo exibia suas tochas já em chamas e apenas pedia aos outros ficassem longe daquele calor; os equilibristas carregavam suas pernas de pau em vez de por elas serem carregadas; a cigana Rosaura trazia apenas a força de seus olhos sem idade, com os quais tinha a certeza de aprisionar Teodoro Alegria; Remo Echegaray estava de mãos limpas e prontas.

Assim estavam os dois exércitos de fanfarra, prontos para a possibilidade da batalha, postados cada qual em seu lado da rua, a vinte metros um do outro, estudando-se mutuamente numa tensão carregada de curiosidades recíprocas.

Teodoro Alegria examinou aquela fila posicionada ao longo de todo o circo, evitando com a habilidade de quem manda os olhos de Rosaura, e buscando enxergar sua filha naquele desfile de esquisitices. Suspirou brevemente em alívio quando soube que ela não estava ali e encarou o comandante adversário, que o olhava com uma espécie de respeito diminuído. Então, resolveu que era a hora de invadir.

Mas antes que Teodoro Alegria tivesse o tempo de dar a ordem, o dono do circo alçou suas palavras ao microfone que empunhava, e sua voz tinha ali a mesma envoltura que tanto impressionara o prefeito na primeira vez em que haviam conversado.

"Respeitável público!", gritou o homenzinho esverdeado. "Distinto povo de Galateia! O Circo Holywood existe há mais de cinquenta anos e, neste meio século de vida, já esteve em todos os continentes e praticamente todos os países do mundo. Temos artistas de talento e fama internacional", e ele fez um gesto amplo, apontando os seus empregados, "que já se apresentaram nas casas de espetáculos mais renomadas das mais importantes capitais mundiais. O nosso estabelecimento também é, ele próprio, um dos mais respeitados nomes da história do circo. Para qualquer artista de escol, é uma honra apresentar-se no aclamado Circo Holywood, com toda a sua tradição e grandeza", um dos malabaristas, naquela hora, postou-se um pouco mais à sua esquerda, a fim de esconder um buraco existente na lona do circo. "E, por uma incompreensível falha e também por impossibilidades anteriores de agenda, até hoje ainda não havíamos nos apresentado nesta laboriosa Galateia. Mas agora estamos aqui, dispostos a trazer à cidade uma diversão saudável e garantida para toda a família. Contamos, para isso, com a gentil contribuição e desvelo do prefeito, o coronel Teodoro Alegria, de quem esperamos continuar sendo merecedores de confiança e amizade. O Circo Holywood quer permanecer aqui até o fim de sua temporada, ciente de sua missão de cultura e engrandecimento. Mas", e, nessa hora, a voz do dono do circo pareceu alterar-se, ganhando uma tonalidade ameaçadora que aguçou a atenção de todo mundo, "se esta cidade não tem interesse e pensa em perder a histórica oportunidade de assistir a um dos maiores espetáculos da Terra, o Holywood vai fazer suas malas, juntar os seus pertences, desmontar seu picadeiro e suas lonas, recolher seus carroções e, com profunda tristeza na alma de cada um dos nossos artistas, rumar em direção a outro lugar que melhor nos receba. As cidades vizinhas, por certo, já sabendo da fama do Holywood e que aqui estamos, não hesitarão em nos convidar. É isso o que vamos fazer, repito, se Galateia não quiser que continuemos. Em paz e em ordem, sabendo que poderíamos ter deixado por aqui boas saudades, amanhã pela manhã levantaremos o circo e vamos embora. Mas", e agora a voz, num crescendo de intimidação que pouco combinava com o discurso doce, chegava a um volume assustador e que parecia alcançar todo o povo, que abria as janelas próximas para melhor escutar, "se alguns poucos de Galateia não querem que o circo aqui continue e nem que vá embora pacificamente, então só nos resta resistir. Resistir, com todas as nossas forças! Que não são poucas", e apontou para os seus artistas, "porque saem dos braços de quem passa os seus dias domando feras, atirando punhais, levantando colegas em pirâmides humanas, erguendo picadeiros e enfrentando os poderes de Tanatos e Perséfone no temível Globo da Morte. Forças testadas todos os dias contra inimigos poderosos e que, certamente, poucas chances concederão a quaisquer adversários mais fracos. Os punhos nus de Remo Echegaray, reconhecido por todos como um dos homens mais fortes do mundo, podem enfrentar dormindo os braços de vinte homens em fúria", então ouviu-se um burburinho nervoso e incomodado nas tropas de Teodoro Alegria, que procuraram e encontraram os olhos tranquilos e insondáveis do trapezista. "Cem homens que nos ataquem, cem homens serão rechaçados! Quinhentos homens que tentem invadir o circo, quinhentos serão derrotados! O exército do Circo Holywood não tem medo de nenhum outro exército!".

E naquela hora, como se obedecessem em conjunto a uma ordem não dada, os homens e mulheres do circo deram uma espécie de uníssono grito de guerra, assustando as pessoas do outro lado da rua, que já não eram mais do que um desordenado grupo de comuns recolhidos meio a esmo, menos a garotada de bicicletas, que vibrava a cada novo lance da festa. As janelas se fecharam outra vez e, por trás delas, se ouvia os gritos amedrontados de mães e pais chamando outra vez os seus filhos da rua, o que sequer era escutado pelos ouvidos infantes.

Teodoro Alegria percebeu o medo nascido em seu exército e achou que, se não agisse naquela hora exata, sua figura de poder estaria terminada para sempre. Era preciso mandar atacar.

Atacar, de uma vez por todas e sem voltar atrás.

Mas, antes que tivesse o tempo para dar a ordem, a cortina da porta principal do circo abriu-se timidamente, e dali saiu uma figura miúda e infantil, de olhos parados e mortos, carregando sem pensar uma valise cor-de-rosa.

Era Alba Rosa, que voltava para casa.

17

A garota parou um instante, como se apenas estivesse se acostumando outra vez à luz do dia, e recomeçou a andar. Atravessou a rua com um olhar baço, sem enxergar ninguém, nem mesmo Teodoro Alegria, e iniciou o caminho de volta à casa como se não houvesse outra pessoa na rua. Os homens recrutados por seu pai abriram caminho para que ela passasse e as duas meninas que a conheciam começaram a chorar, porque talvez fossem as únicas a saber, em todo aquele exército de improvisos, que o olhar sem rumo de Alba Rosa não era nada mais do que uma tristeza invencível e sem cura. O prefeito não tentou abraçar a filha, porque não era homem de arroubos de emoções públicas e também porque, mesmo em sua rudeza absoluta, conseguiu perceber que os passos da filha estavam carregados de algo novo e desconhecido, onde sua presença espaçosa era proibida.

Alba Rosa atravessou a tosca tropa arregimentada por seu pai e caminhou pela rua principal em passos de zumbi, sem responder aos cumprimentos e às perguntas que um ou outro lhe fazia. Teodoro seguia a filha alguns metros depois e, atrás dele, todos os demais ainda continuavam reunidos, marchando juntos seu caminho de retorno, como se não estivessem dispensados e desejosos de saber como terminaria a nova batalha. Em dado momento, o gerente da ferragem achou que aquela cena mereceria mais e começou a gritar em homenagem, repetida e pausadamente, o nome da filha do prefeito, mas ninguém além dos meninos das bicicletas o secundou. A multidão seguiu Alba Rosa numa espécie de silêncio respeitoso, e ao cortejo foram se juntando os olhares das janelas e portas abertas. Quando passaram em frente ao Café Central, onde os frequentadores haviam permanecido à espera da batalha que não houve, o doutor Manoel teve a delicadeza de desviar o olhar.

A dois quarteirões de casa, Alba Rosa parou. Depositou no chão a valise em que carregava suas fortunas e ficou por meio minuto, talvez mais, sem se mover e olhando um horizonte que parecia pertencer apenas a ela. Todos ficaram em suspenso. Aqueles trinta segundos parados confundiram ainda mais as ideias de Teodoro Alegria, que considerou a possibilidade de Alba Rosa estar mudando sua decisão, mas, quando a filha pegou novamente a maletinha cor-de-rosa com a outra mão e recomeçou a andar, ele percebeu, aliviado, que tudo era somente cansaço e que não teria de carregá-la para casa à força. Olhou a filha distanciar-se ainda um pouco, como a ter certeza de que ela havia verdadeiramente retomado o caminho, e recomeçou, ele próprio, a andar. Seu exército, como se apenas esperasse a ordem, fez o mesmo.

A mulher e a mãe do prefeito esperavam por Alba Rosa no portão, com uma tranquilidade fatalista, enquanto o fantasma de Honorato Alegria, sentado no mesmo banco em que costumava ficar às tardes, olhava a aproximação da neta com olhos de nada fazer. Quando a menina chegou em frente à casa, liderando uma multidão que sequer percebia, deixou outra vez a maleta cair ao chão e abraçou primeiro a mãe, depois a avó, depois ambas. Ficaram num abraço longo como se estivessem apenas as três no mundo, e Teodoro Alegria soube que aquele conjunto único e envolto em seus próprios braços pertencia a um mundo que não era o seu. Quando mãe, filha e avó finalmente se desabraçaram, Alba Rosa olhou para o pai e disse:

"Rômulo fugiu".

E então, olhando a multidão como se essa houvesse se formado naquele instante e como se nada mais agora importasse:

"Podem ir embora. Acabou tudo".

18

O circo ainda ficou por dois dias pesados em Galateia, com um espetáculo pela metade, sem trapezistas, em que o solitário Remo Echegaray foi apresentado como um dos homens mais fortes do mundo e exibiu sem sorriso os seus músculos para uma plateia tão pouco entusiasmada quanto ele mesmo. Levantou pesos de centenas de quilos, desfilou ao redor do picadeiro com três anões pendurados em seu braço esquerdo e rasgou tábuas de madeira como se fossem folhas de papel, mas sem qualquer alegria além da protocolar, necessária para que o espetáculo seguisse adiante.

Os palhaços faziam piada sem sorrir e era seca a água que saía das flores de suas enormes lapelas; o leão parecia ainda mais preguiçoso e rugia dormindo enquanto o domador o fazia pular de má vontade entre aros ardendo em fogo; o atirador de facas arremessou todas as lâminas a uma distância sem riscos de sua parceira; o equilibrista deixou cair por três vezes os pratos que rodava, rápido, em cima de uma longa e fina vareta de plástico; e o dono do circo apresentou as atrações como se apenas esperasse o fim da apresentação. O público, pequeno e indeciso a respeito de tudo o que havia acontecido, aplaudia sem maiores efusões, esperando a próxima apresentação com pouca curiosidade e perguntando-se onde andaria o trapezista de olhos de violeta por quem se apaixonara a filha do prefeito.

Rômulo Echegaray passou aqueles dois dias escondido e de olhos fechados, contra a própria vontade, no fundo falso do baú do mágico Melvin, pelo qual os cinco policiais de Galateia haviam passado sem qualquer desconfiança quando foram procurá-lo. Os homens tinham se apresentado para vasculhar o circo sem nenhum mandado que não as ordens faladas do prefeito e do delegado, mas estavam tão assustados que ninguém achou que valesse a pena impedi-los. Tinham procurado por Rômulo com a vontade de não encontrá-lo e, ao final de quinze minutos nos quais passaram os olhos por meia dúzia de lugares fáceis, o comissário Ernesto dera por encerrada a missão e ordenara a retirada de seus poucos comandados. Tão inofensivos pareceram enquanto buscavam por Rômulo no carroção do mágico que este considerou que não só poderia sair logo de seu esconderijo, como também apresentar-se na sessão daquela noite, mas seu irmão e o dono do circo entenderam que seria uma provocação desnecessária. Assim, com seus próprios protestos e a aprovação de todos os outros, Rômulo Echegaray permanecia de olhos fechados e mal acomodado no baú de seu amigo Melvin, a estreiteza do caixote atrapalhando menos ao seu corpo acostumado a contorções do que o cheiro de cocô de pombas que certamente o incomodaria por dias.

O circo apresentou-se na noite da quase batalha, um pouco depois de Alba Rosa ter voltado para casa, frente a uma audiência tímida. No dia seguinte, o dono do lugar já sabia que o prefeito, que talvez pela primeira vez em sua vida tosca tinha encontrado alguém disposto a enfrentá-lo, não cumpriria a promessa de expulsão. Resolveu esperar até a próxima sessão, a ver se o público melhoraria, mas já sabendo que as pessoas da cidade não se livrariam dos receios difusos do dia anterior, e a primeira e última temporada do Holywood em Galateia estava destinada ao mais retumbante fracasso. Quando, à noite, não enxergou nas arquibancadas mais do que algumas dezenas de pessoas, agradeceu a presença de todos e decidiu que o circo iria logo embora daquele lugarejo.

Às duas da tarde, quando as lonas já haviam sido arriadas e o trabalho de desmonte estava além da metade, o dono do circo apresentou-se na prefeitura, pedindo para ser atendido por Teodoro Alegria. A secretária comentou que o prefeito estava bastante ocupado, mas resolveu verificar a agenda quando o homenzinho explicou que precisava apenas colocar em dia uma pequena pendência financeira, e descobriu que havia um horário vago daí a quinze minutos.

"Perfeito. Eu aguardo".

Esperou aquele quarto de hora bebendo uma xícara de café ruim como poucas vezes havia provado na vida, a balançar as pernas na cadeira alta em que se acomodara e pensando na próxima cidade em que instalaria a sua trupe. Quando a secretária avisou que o prefeito já iria atendê-lo, ele levantou-se súbito e não esperou que ela o anunciasse. Encontrou Teodoro Alegria de pés descalços, pernas cruzadas sobre a mesa e recostado na poltrona, e assim o prefeito permaneceu enquanto seu adversário sentava, sem pedir, numa das poltronas do gabinete. Não se cumprimentaram.

"E então?", perguntou o prefeito.

"Estamos indo embora hoje à tarde", respondeu o dono do circo.

"Isso não é nenhuma novidade. Toda a cidade viu vocês desmontando as tralhas".

O homenzinho não disse nada, não estava ali para cair em provocações. Apenas colocou a mão no bolso interno do casaco e tirou dali um pequeno envelope pardo, colocando-o com educação medida sobre a mesa de Teodoro Alegria.

"A comissão dos espetáculos", e então, achando que também ele poderia provocar um pouco. "A gente do circo cumpre o que promete".

O prefeito nem escutou. Sem tirar as pernas da mesa, estendeu a mão e agarrou o envelope. Retirou dele as notas e olhou em seu interior para verificar se nada havia sido esquecido. Contou o dinheiro, com calma, pausado, gostando do que fazia. Quando terminou, colocou as notas no bolso do próprio casaco, como se aquela quantia não valesse maiores caprichos.

"Uma miséria", disse ele.

"O espetáculo extra do seu exército deve ter afugentado o público", ironizou o dono do circo, sem que Teodoro

Alegria entendesse bem o comentário. Mas nenhum deles estava disposto a confrontos; ambos queriam apenas terminar logo com aquilo. Ficaram em silêncio durante uns segundos, até que o prefeito comentou:

"Acho que vou baixar um decreto proibindo a entrada de circos em Galateia".

"Faz bem, prefeito. É melhor evitar confusão", riu o outro. E então, como se considerasse importante: "E sua filha, prefeito?".

"Este não é um assunto do seu interesse", disse Teodoro Alegria, porque não podia importar àquele estranho homúnculo esverdeado o fato de que, desde que chegara em casa e sob os protestos sempre silenciosos de Madalena, Alba Rosa estava trancada no quarto, por ordem de seu pai.

"Isso é bem verdade. Meu interesse agora é chegar à próxima cidade".

"E vocês já sabem para onde vão?", perguntou o prefeito.

"Este não é um assunto do seu interesse", devolveu o dono do circo.

"Isso é bem verdade", assentiu, bem humorado, Teodoro Alegria: a reunião terminaria em instantes, o circo ia embora daí a pouco e o dinheiro prometido estava cumprido em seu bolso. Tirou pesadamente as pernas de cima da mesa e espalhou o peso sobre a poltrona; depois levantou-se com um breve arquejo, pronto a dar certa solenidade à despedida. O outro ergueu-se também, e pareceu ao prefeito que isso fazia pouca diferença.

"Bem, é isso. Acho que estamos encerrados", e estendeu a mão ao dono do circo, num sinal de que eventuais rusgas estavam agora sepultadas.

O outro relutou um instante, sem que o prefeito sequer percebesse. Depois, apertou com a sua aquela mão estendida, a voz de quem está sempre pronto.

"Foi um prazer".

E começou a andar em direção à porta do gabinete. Antes que saísse, o prefeito o chamou.

"Amigo!".

O dono do circo parou com suavidade, como se esperasse ser chamado, e apenas aguardou que o prefeito prosseguisse.

"Veja só. Desenvolvemos esta bela amizade", o prefeito também sabia ser irônico, "e eu ainda não sei o seu nome".

O homenzinho deu uma risada grande antes de responder.

"Teodoro", disse ele. "Teodoro Alegria".

E saiu.

19

O Holywood havia partido fazia três dias e Alba Rosa continuava trancada em seu quarto. A porta já não estava mais fechada com a chave pelo lado de fora, e o prefeito mandara despregar as duas trancas de madeira com que prendera a janela do quarto da filha, mas ainda assim a garota não saía. Permanecia deitada em sua cama, como se estivesse pronta para morrer, e a única diferença entre as horas acordadas e as de sono é que nestas últimas, por vezes, interrompia sua mudez para balbuciar, entre suspiros, o nome de Rômulo Echegaray. Apenas tocava na comida e bebidas que as empregadas lhe levavam a cada tanto, só o suficiente para não se inanir. Comia uns pouquinhos e deixava os pratos quase intocados ao lado da cama, despreocupada de insetos, e voltava a se deitar. E assim ficava, sem se mover e sem vontade de nada, até que lhe trouxessem nova rodada de pratos e tentativas de que ela voltasse a algo semelhante à vida.

Certa tristeza sem nome habitava a casa naqueles dias tantos de incertezas. Madalena Alegria tentara conversar com a filha na mesma noite em que ela chegara, e não conseguira nenhuma palavra ou olhar; na manhã seguinte, quando aceitou da mãe uns goles de suco de laranja e meia fatia de pão com mel, Alba Rosa apenas pareceu responder, com um gesto, que tudo aquilo ia passar em breve, e essa resposta muda esquentou um pouco o coração desalentado de Madalena. A avó também fora ao quarto da menina, não para conversar, mas para vê-la um pouco, na certeza de que o destino apenas ainda não tinha se cumprido. Sem que Alba Rosa percebesse de verdade, o avô velava o sono da neta como nunca tinha feito quando era vivo, tempo em que talvez sequer a conhecesse. E Teodoro Alegria ainda não havia entrado no quarto da filha.

Do lado da cama, a valise cor-de-rosa permanecia fechada.

Mas, no quarto dia, Alba Rosa despertou com novo fulgor nos olhos, e seus pais certamente teriam conseguido ver nele uma recém-nascida luz de violeta, caso morassem mais próximos do mundo. Pegou a valise como se houvesse voltado de uma viagem ruim e colocou-a em cima da cama, disposta a guardar de volta aos lugares tudo o que havia levado naquela aventura, menos o ingresso rasgado da estreia do circo. Examinou atentamente o pedacinho amassado de papel, quase um sorriso a escapar-lhe dos lábios apagados, e depositou-o no criado-mudo ao lado da cama, com o cuidado de quem guardava um tesouro impossível. Então, levantou-se e começou a devolver aos armários tudo o que carregara na maletinha rosada.

Nessa pequena faina, encontrou-a a mãe, quando foi levar-lhe o café da manhã. Alba Rosa recebeu-a com um sorriso em que parecia nada haver acontecido e, tão logo se acostumou novamente à voz que não escutava há dias, conversou como se em nenhum momento tivesse abandonado o assunto. Madalena, no entanto, sequer escutava o que Alba Rosa dizia. Sua alegria era tanta que não lhe permitia prestar atenção a outra coisa que não ao riso da filha e às batidas renovadas de seu próprio coração. Alba Rosa entendeu e mal pôde conter o choro ante a felicidade desordenada da mãe. Então, pediu que a deixasse só por uns instantes, porque queria terminar de colocar em ordem as importâncias que saíam daquela maletinha, depois banhar-se e colocar outro vestido.

"Hoje almoçamos todos juntos", disse a garota. E depois, como se a frase fosse, ao mesmo tempo, fim e início: "E acho que já estou bem para ir à aula".

Alba Rosa apareceu renovada à mesa do almoço, vestindo o uniforme da escola, em cujo bolso guardara, com todo o cuidado, o ingresso para a estreia do Holywood. Teodoro Alegria teve o bom senso de não iniciar de imediato um de seus sermões moralistas de pai zeloso, certamente bem avisado pela mulher de que aquela não seria a hora, e o fato de chamar Alba Rosa de "minha filha" durante a refeição já demonstrava o quanto estava emocionado com o retorno. Conversaram os assuntos sobre os quais conversam aqueles que não querem se comprometer — o tempo, a vida alheia, notícias antigas. Quando o prefeito, sem dar-se conta, mencionou que o circo havia deixado imundo o terreno em que se instalara, Alba Rosa fingiu não ter ouvido e Madalena chutou-lhe com leveza a canela da perna manca. A chegada de Natélia Alegria à mesa livrou o filho do embaraço de não saber como bem trocar de assunto. A avó sentou-se calada e assim serviu-se; mas, antes de começar a comer as miudezas que colocara no prato, olhou para Alba Rosa como se apenas naquele momento a percebesse e suspirou. Teodoro Alegria quis comentar tal suspiro, mas sua mãe interrompeu com um gesto árido o que ele ainda pensava em dizer, pedido mudo para que a deixassem em sua solidão sem palavras. A neta e a avó se olharam como se soubessem, e ninguém disse mais nada até o fim do almoço.

"Alba Rosa vai à aula", disse a avó quando todos já haviam se levantado, e as primeiras palavras que falava naquele dia, mais que simples informação, soaram como ordem bem medida.

O prefeito resolveu não tomar o café em casa. Ainda que tudo lhe parecesse difuso, o almoço e a tranquilidade de Alba Rosa, depois daqueles dias de tormento mudo, o haviam animado. Queria que o vissem assim, no Central; mais adiante, assoviando e ainda querendo ser visto, passaria na ferragem e na casa lotérica. Talvez mais tarde fosse até a prefeitura.

Alba Rosa escovou os dentes e foi buscar, no quarto, o material de aula. Abriu as portas dos armários e permaneceu por alguns minutos sentada em sua cama, sem fazer nada além de observar todas as coisas como se pretendesse guardá-las no olhar. Levantou-se e percorreu o quarto, demorando-se em cada espaço caro. Fechou a janela, que havia aberto depois de todos aqueles dias e da qual sempre conseguia enxergar o avô sentado no banco do pátio como se não tivesse nada a fazer em sua eternidade. A peça então mergulhou numa penumbra doce e pela metade, e a meia-luz teve o poder de estremecer com leveza o corpo de Alba Rosa. Ela certificou-se outra vez de que trazia junto ao peito o ingresso picotado do circo, pegou os livros e cadernos que havia deixado em cima da cama e saiu, deixando as portas abertas e pensando que suas coisas eram livres para fazer o que quisessem. A avó estava parada na porta de seu próprio quarto, tecidos e agulhas quase invadindo o corredor, e ambas novamente não se disseram nada. Alba Rosa apenas aceitou que Natélia Alegria colocasse um xale vermelho sobre o seu pescoço, o que a deixou com ares de bailarina espanhola iniciante, e se olharam outra vez, outra vez ambas entendendo tudo. A neta estendeu a mão com delicadeza e limpou a lágrima miúda e tímida que se formava sem querer nos olhos cansados da avó, a avó estendeu a mão em direção ao rosto de Alba Rosa e aqueles olhos adolescentes estavam secos.

A garota passou pela floricultura da mãe, comentou com ela como estavam bonitos os gerânios e deu-lhe um beijo. Madalena Alegria ficou tão movida com o beijo inesperado que nem se lembrou de elogiar a elegância do xale da filha, muito menos de dizer que aquelas flores não eram gerânios e sim begônias. A mãe desejou boa aula e colocou nos cabelos da filha um arranjinho floral que passara horas fazendo, sem maior talento. Quando, na saída, a garota passou pelo avô, ambos brincaram outra vez de fingir que não se enxergavam, mas ela não deixou de se assustar com a palidez adoentada daquele corpo velho.

Alba Rosa ganhou a rua em passos breves e despreocupados. Decidiu desviar o caminho e passar em frente ao Café Central antes de tomar o rumo do colégio. Da janela viu o pai discursando como se estivesse em casa, voz trovejante renovada em forças, e dirigiu-lhe um sinal cúmplice na hora em que o ouviu mencionar, com certa luxúria, o nome da cigana Rosaura. Teodoro Alegria devolveu a cumplicidade à filha e voltou ao discurso que era o mesmo há tanto tempo, enquanto ela saía da janela e retomava o rumo já atrasado da escola.

Andou devagar pela avenida principal daquela cidade que provara outra vez pertencer ao seu pai, contando os passos como se contasse os anos, adivinhando o caminho de olhos no chão, e parou exatamente em frente ao portão deserto do colégio, pelo qual os últimos colegas haviam entrado quinze minutos antes. Permaneceu um instante de olhos baixos, como se fosse difícil tomar uma decisão que já estava tomada. Quando levantou os olhos, procurou no horizonte a luz púrpura que sabia que iria encontrar.

Então começou a andar naquela direção.

LIVRARIA DUBLINENSE

A loja oficial da Dublinense,
Não Editora e Terceiro Selo

livraria.dublinense.com.br

ESTE LIVRO FOI COMPOSTO EM FONTES ARNO PRO,
CIRCUS E MESQUITE E IMPRESSO NA GRÁFICA PALLOTTI,
EM PAPEL LUX CREAM 90G, EM JULHO DE 2017.